elefante

CONSELHO EDITORIAL
Bianca Oliveira
João Peres
Tadeu Breda

EDIÇÃO
Tadeu Breda

ASSISTÊNCIA DE EDIÇÃO
Clarissa Oliveira

REVISÃO
Luiza Brandino

REVISÃO TÉCNICA
Júlia Rabahie
Marina Yamaoka

CAPA & PROJETO GRÁFICO
Bianca Oliveira

DIAGRAMAÇÃO
Victor Prado

QUEM VAI FAZER ESSA COMIDA?

MULHERES, TRABALHO DOMÉSTICO E ALIMENTAÇÃO SAUDÁVEL

BELA GIL

INTRODUÇÃO
Comer bem é uma escolha?
~ 7 ~

CAPÍTULO 1
"Quem faz a comida que se vire"
~ 19 ~

Alimentos ultraprocessados: qual é o problema, afinal?
~ 24 ~

Como a comida virou (agro)negócio?
~ 28 ~

O que escondem os ultraprocessados?
~ 33 ~

Por que estamos tão longe do ideal? Questões de acesso
~ 39 ~

Cada vez mais longe do que nos faz bem
~ 52 ~

CAPÍTULO 2
A base invisível da economia
~ 55 ~

Um ponto de encontro entre Adam Smith e Karl Marx
~ 56 ~

O trabalho reprodutivo e a economia do cuidado
~ 59 ~

Reconhecer, reduzir, redistribuir — e remunerar
~ 69 ~

CAPÍTULO 3
O ponto cego da segunda onda feminista
~ 77 ~

A mulher (branca e de classe média) sai da cozinha e a indústria entra
~ 82 ~

Fast-food e homogeneização da cultura alimentar
~ 85 ~

De quem é a vida consumida ao pé do fogão?
~ 88 ~

Homens, equidade e carga mental
~ 95 ~

E se a dona de casa recebesse salário?
~ 101 ~

CAPÍTULO 4

A exploração da generosidade feminina

~~ 117 ~~

Surgimento do trabalho assalariado e caça às bruxas

~~ 127 ~~

O ser humano afastado da natureza

~~ 135 ~~

CONCLUSÃO

Todo mundo deveria fazer a própria comida?

~~ 159 ~~

CAPÍTULO 5

A tecnologia como aliada

~~ 141 ~~

Da fogueira ao micro-ondas

~~ 144 ~~

A indústria pode ajudar sem atrapalhar?

~~ 147 ~~

A comida a um clique de distância

~~ 149 ~~

O futuro da alimentação sem comida

~~ 153 ~~

REFERÊNCIAS

~~ 167 ~~

SOBRE A AUTORA

~~ 176 ~~

INTRODUÇÃO

Comer bem é uma escolha?

~~~

Alimentação é um assunto complexo. Ainda mais no Brasil. Por um lado, temos uma enorme diversidade de alimentos, terra e água em quantidade suficiente, além de uma cultura gastronômica rica e plural, com raízes regionais e origens nos quatro cantos do planeta. Por outro, devido a disparidades sociais, econômicas, geográficas e educacionais, o acesso às ofertas alimentares e às condições necessárias para fazer boas escolhas na hora de comer é extremamente desigual.

Há pessoas pobres que dispõem de um pedaço de solo fértil e conseguem plantar parte do próprio alimento, mantendo dietas baseadas em ingredientes de alta qualidade, como legumes, verduras e grãos. Há famílias mais abastadas que não enfrentam nenhuma dificuldade em comprar ingredientes frescos e orgânicos, além de empregarem alguém para cozinhar todos os dias em casa. Há gente rica ou de classe média que prefere alimentos ultraprocessados,[1] e gente que se

---

1 "Alimentos ultraprocessados são formulações industriais feitas inteiramente ou majoritariamente de substâncias extraídas de alimentos (óleos, gorduras, açúcar, amido, proteínas), derivadas de constituintes de alimentos (gorduras hidrogenadas, amido modificado) ou sintetizadas em laboratório com base em matérias orgânicas como petróleo e carvão (corantes, aromatizantes, realçadores de sabor e vários tipos de aditivos usados para dotar os produtos de proprieda-

esforça para manter uma alimentação baseada em comida de panela — cada vez mais cara no Brasil[2] — mesmo enfrentando problemas financeiros.

Enfim, há uma diversidade enorme de hábitos alimentares no país. E esses hábitos não estão congelados no tempo e no espaço, mas em constante transformação. Podem mudar inclusive dentro de uma mesma geração, ao longo da vida de uma mesma pessoa, como resultado de variações na condição socioeconômica, nas convicções políticas ou no local de residência, entre muitos outros fatores.

A alimentação é uma ferramenta poderosa de transformação social, para melhor ou para pior. Não à toa, a comida — o acesso a ela ou a falta dela — é usada há milênios para manipular a sociedade. Basta lembrar que, no Império Romano, os governantes não hesitavam em distribuir pão — devidamente acompanhado do circo — para acalmar os ânimos populares quando as coisas não iam bem. Hoje, produzimos comida em quantidade suficiente para alimentar todos os oito bilhões de habitantes da Terra, e mesmo assim, de acordo com o relatório *Estado da segurança alimentar e nutricional no mundo 2022*, publicado pela ONU com base em dados coletados em 2021, pelo menos 828 milhões de seres humanos estão passando fome. No total, 2,3 bilhões de pessoas (29,3% da população global) enfrentam alguma forma de insegurança alimentar (FAO, Ifad, Unicef, WFP & OMS, 2022).[3]

---

des sensoriais atraentes). Técnicas de manufatura incluem extrusão, moldagem e pré-processamento por fritura ou cozimento" (Brasil, 2014, p. 41).

[2] "Inflação: alimentos in natura se destacam como os dez itens que mais subiram esse ano", *CNN Brasil*, 27 jun. 2022.

[3] Ver também: "Fome cresce no mundo e atinge 9,8% da população global", *ONU News*, 6 jul. 2022; "Can we feed the world and ensure

Como já dizia o médico pernambucano Josué de Castro na década de 1940, a fome é uma questão política. Em 2014, depois de dez anos de governos que implementaram medidas para que a população tivesse condições minimamente dignas de alimentação, o Brasil finalmente deixou o Mapa da Fome das Nações Unidas.[4] Logo em seguida, porém, com o golpe parlamentar, as mudanças no Palácio do Planalto e o abandono de uma série de políticas públicas, esse flagelo voltou a assolar o país. De acordo com a Rede Brasileira de Pesquisa em Soberania e Segurança Alimentar e Nutricional (Rede Penssan), em dezembro de 2021 cerca de 125 milhões de brasileiros se encontravam em insegurança alimentar e nutricional; entre eles, 33 milhões passavam fome (Rede Penssan, 2022). E, segundo a Organização das Nações Unidas para a Alimentação e a Agricultura (FAO), 61,3 milhões de pessoas tinham dificuldades para se alimentar no Brasil entre 2019 e 2021.[5] Enquanto isso, a safra brasileira de grãos em 2020-2021, estimada pela Companhia Nacional de Abastecimento (Conab), foi de 252,31 milhões de toneladas.[6] Em 2021, o Instituto Brasileiro de Geografia e Estatística (IBGE) contabilizou o abate de 27,54 milhões de bovinos, 52,96 milhões de porcos e 6,18 bilhões de frangos,

---

no one goes hungry?", *UN News*, 3 out. 2019; e "World hunger: key facts and statistics 2022", Action Against Hunger, s.d. Disponível em: https://www.actionagainsthunger.org/world-hunger-facts-statistics.
4 Um país entra no Mapa da Fome da ONU quando mais de 2,5% da população se encontra em situação de insegurança alimentar grave.
5 "Mais de 60 milhões de brasileiros sofrem com insegurança alimentar, diz FAO", *G1*, 6 jul. 2022.
6 "Em último levantamento, Conab estima safra em 252,3 mi de toneladas", *Canal Rural*, 9 set. 2021.

além de uma produção de 3,97 bilhões de dúzias de ovos.[7] Basta somar e dividir para entender que o que faz um país como o Brasil não conseguir alimentar toda a sua população — ou alimentá-la bem ou mal — é a vontade política de seus governantes.

Lamentavelmente, no que se refere à alimentação, vemos uma crescente concentração de poder corporativo, no qual o agronegócio e grandes empresas alimentícias e farmacêuticas — e os políticos que as apoiam em troca de vultosos recursos — decidem o que, como e quanto vamos comer. Para quem está mais interessado em dinheiro, usar a comida e a fome como ferramentas de manipulação social é uma tática muito sedutora, além de eficaz. Afinal, as possibilidades de escolha de quem tem fome são extremamente reduzidas: com a barriga roncando por dias a fio, aceitamos com muito mais facilidade qualquer migalha, qualquer emprego, qualquer condição para sobreviver. Em contrapartida, ao viver em segurança e soberania alimentar, um povo reúne as condições mínimas para ser mais autônomo, livre, feliz e saudável. Por isso, zerar a fome no Brasil seria, por si só, uma conquista gigantesca. E, se olharmos para a história do país, não teremos a menor dúvida de que a alimentação é um direito[8] pelo qual vale muito a pena lutar.

Contudo, resolver o problema da comida — isto é, criar acesso e condições para que todos e todas tenham uma alimentação saudável — vai muito além de acabar com a fome. Quando falo sobre alimentação saudável e sobre comer bem,

---

[7] "Resultados da produção animal em 2021 e as expectativas para 2022", *Canal Agro*, 9 jun. 2022.
[8] "O direito humano à alimentação no mundo e no Brasil", *Nexo*, 12 abr. 2021.

me refiro a uma alimentação que promova a saúde integral — aquela que nos dá a oportunidade de beneficiar não só o nosso corpo, a nossa mente e a nossa dimensão espiritual, mas também a sociedade e o planeta, remunerando os agricultores com preços justos e conservando o meio ambiente. Ter a oportunidade de escolher o que colocar no prato nos dá o poder de mudar a nossa relação com a saúde individual, coletiva e planetária. É uma satisfação imensa agir, por meio da alimentação, para prevenir doenças, valorizar e respeitar o trabalho camponês e colaborar com o combate às mudanças climáticas e, mais amplamente, com a proteção da natureza.

Mas essa realidade está longe de ser possível para o conjunto da população. A maioria das pessoas no Brasil e no mundo simplesmente não pode se alimentar de acordo com os próprios valores. Por isso é importante que quem pode o faça: assim conseguimos aos poucos pressionar o poder, transformar as diretrizes de mercado e democratizar a alimentação saudável. No entanto, ainda mais importante é ter a consciência de que comportamentos individuais são apenas parte da solução: o fundamental é que tenhamos políticas públicas para impulsionar uma transformação mais rápida, profunda e estrutural para todos.

É muito comum ouvirmos que mães e pais precisam alimentar bem os filhos, para que cresçam fortes e saudáveis. Enquanto isso, a indústria alimentícia age ferozmente contra essa diretriz ao oferecer alimentos ultraprocessados baratos, práticos e palatáveis de péssima qualidade nutricional, que competem com alimentos frescos e preparados em casa — os melhores. No contexto atual, é extremamente difícil convencer alguém a alimentar a si e aos seus com comida de panela, caso isso signifique fazer as refeições do zero todos os dias. Ou seja, é uma competição desleal. O melhor incentivo para cozinhar em casa é a saúde e o bem-estar da família, sobretudo das crianças. Ainda assim, mesmo imbuídos dessa certeza, nem todos conseguem investir em uma alimentação saudável e adequada — o que exige apoio e recursos. Para que haja boas escolhas à mesa, portanto, além de inibir a ingestão de produtos ultraprocessados e incentivar o consumo de comida de panela, é preciso, sobretudo, reconhecer e valorizar o trabalho de quem se responsabiliza pela alimentação familiar e por outros cuidados domésticos.

Sempre fui privilegiada nesse sentido. Quando uso a palavra "privilegiada", quero dizer que reconheço a distribuição desigual de oportunidades e me encaixo no grupo que escapa facilmente a barreiras estruturais e identitárias. Desde a faculdade recebia comentários sobre a forma como eu alimentava bem a mim e a minha família, e também como lidava com o tempo e a atenção distribuída entre os filhos, a casa, os estudos e o trabalho. Para quem olhava de fora, eu estava plena, girando e equilibrando com maestria todos os meus pratinhos. Muita gente elogiava a minha capacidade de "dar conta de tudo" de uma maneira leve, sem perder as estribeiras — o que não é bem verdade. É claro que eu já pensei que não conseguiria cumprir os muitos trabalhos que me propunha a fazer, ou que eu não fazia o suficiente. Mas os anos foram passando e eu entendi que a única saída para não perder a cabeça era diminuir o ritmo e a autocrítica, baixar a bola e as expectativas.

Com isso, percebi que fazia muito, sim, e que esse muito só era possível porque eu não estava só: havia uma grande rede de apoio à minha volta. Eu dei e dou conta de muita coisa por causa do suporte — remunerado ou não — que recebo de todos os lados. Amigos que viraram família e sempre estiveram dispostos a levar minha filha para passear enquanto eu escrevia um livro ou estudava para uma prova da faculdade; a Dete, que trabalhava na minha casa e, além de limpar tudo, adiantava o corte dos vegetais do jantar para que, quando eu chegasse, só os levasse ao fogo; minha família, que nas férias ficava com as crianças um mês inteiro para que eu pudesse adiantar as matérias da faculdade e tirasse alguns dias para viajar só com o meu marido; o meu ex-marido, JP, que compartilhava o trabalho exaustivo de gerir um lar, desde consertar uma porta emperrada até lembrar que precisávamos comprar papel higiênico; e contatos profissionais incríveis, que me levaram a lugares muito importantes.

Eu jamais poderia achar que tudo o que fiz e faço e tudo o que sou se deve unicamente ao meu esforço. É claro que existem sacrifícios e dedicação da minha parte no âmbito individual, familiar e profissional, mas eles só são possíveis porque há pessoas — sobretudo mulheres — dedicando tempo o bastante ao trabalho reprodutivo por mim e para mim.

Por ter vivido muitos anos em outros países, tive a oportunidade de observar a maneira como as pessoas em outras culturas exercem o cuidado com a vida, ou seja, como distribuem o tempo entre maternidade, alimentação, saúde, tarefas domésticas, estudo, trabalho remunerado e lazer. Uma década fora do Brasil me permitiu enxergar as diferenças com que os diversos lugares do mundo tratam o trabalho doméstico não remunerado — aquele que inclui a limpeza da casa, o cuidado com os filhos, o preparo das refeições e muitas outras tarefas que se tornaram invisíveis aos olhos da nossa sociedade.

O meu trabalho com culinária e alimentação, como apresentadora, cozinheira, escritora e palestrante, me levou a muitos lugares do país — assentamentos, comunidades indígenas, quilombolas e ribeirinhas, terreiros, fazendas e favelas —, o que me fez enxergar de perto o maior desafio brasileiro: a desigualdade social. Como ativista por uma alimentação saudável para todos, entendo que a alimentação deva beneficiar as micro e macroesferas da nossa existência, do individual ao planetário. Aqui, não podemos deixar de olhar para a saúde coletiva e para as questões que impedem a democratização da boa alimentação.

Não basta apenas focar as receitas e os ingredientes. O conhecimento tradicional e científico já demonstrou à exaustão o tipo de alimento que faz bem e o tipo de alimento que faz mal à saúde. Portanto, é hora de voltar os olhos a quem faz a comida — e garantir que toda a sociedade possa trabalhar em prol de melhores condições para que escolhas saudáveis à mesa sejam não apenas um ideal, mas uma realidade acessível ao conjunto da população.

Eis o objetivo deste livro.

Ter uma vida mais saudável — isto é, cuidar da saúde individual, ambiental e coletiva — implica necessariamente uma boa relação com a alimentação. Em torno de 70% das mortes em todo o mundo são causadas por doenças crônicas não transmissíveis (DCNT) diretamente relacionadas à dieta e ao estilo de vida (Malta *et al.*, 2017). Muitas mortes poderiam ser evitadas com o consumo frequente de alimentos saudáveis.[9] Estudos já demonstram que a comida de panela é nutricionalmente superior aos produtos ultraprocessados, tornando o ato de cozinhar uma forma de cuidar da saúde e prevenir doenças.[10] No entanto, como veremos no capítulo 1, comer bem é uma tarefa que demanda dedicação, dinheiro, planejamento, ferramentas e tempo — e por isso se torna um privilégio quando falamos de classe, raça e gênero. Sabemos que muitos querem comer bem, e que essa oportunidade não chega para todos. O acesso à alimentação

---

[9] "Guia mostra que 260 mil mortes podem ser evitadas com alimentação saudável", *Agência Brasil*, 15 out. 2005.
[10] "Estudo aponta associação entre alimentos ultraprocessados e risco de doenças", Fiocruz, 10 ago. 2021.

saudável é algo que precisa ser cada vez mais discutido, porque é uma questão complexa e multifatorial.

No capítulo 2, falarei sobre como o ato de cozinhar é uma das muitas tarefas do trabalho doméstico — o qual, no Brasil e no mundo, é feito majoritariamente por mulheres. Na maioria das vezes, esse trabalho não é reconhecido, tampouco valorizado e muito menos remunerado. Além de manter a higiene física e mental dos moradores de uma casa e prevenir doenças através de uma alimentação caseira baseada em ingredientes saudáveis, entre muitos outros benefícios, o trabalho doméstico não remunerado é o que faz com que todos os outros trabalhos sejam possíveis. Embora o movimento feminista do século XX tenha promovido inegáveis avanços para as mulheres (sobretudo as brancas das classes mais abastadas) em áreas como educação, saúde e mercado de trabalho, ele foi, de certa forma, cúmplice na desvalorização do trabalho doméstico, aumentando ainda mais a desigualdade que atinge as mulheres pretas e pobres e suas famílias. Como veremos no capítulo 3, a valorização do trabalho doméstico pode contribuir para que tenhamos uma alimentação mais saudável, além de combater a opressão de classe, raça e gênero e ajudar a preservar o meio ambiente.

Caso não olhemos para as necessidades de quem faz a comida (e desempenha a maioria dos cuidados reprodutivos), o nosso bem-estar continuará nas mãos de corporações que pretendem trazer soluções na forma de produtos ultraprocessados fáceis, rápidos e saborosos, porém prejudiciais à saúde, destinados principalmente a quem não tem dinheiro, tempo ou conhecimento para "escolher" outro caminho. Portanto, remunerar justamente quem faz a comida — e, na verdade, todo o trabalho que possibilita que esse alimento chegue à mesa com maior integralidade, do cultivo à feira — é uma das medidas mais importantes para transformar o cenário atual, que favorece a degradação ambiental e a proliferação de doenças crônicas e coloca muitos agricultores familiares em situação de vulnerabilidade.

No capítulo 4, falarei sobre como a lógica de exploração do trabalho das mulheres é espelhada na forma como as indústrias, os governos e a população em geral tratam a natureza. Quem sabe algumas das estratégias para valorizar os cuidados domésticos e reprodutivos não possam ser adaptadas para cuidarmos melhor dos nossos rios, biomas e oceanos? A tecnologia, inclusive, não é necessariamente inimiga; pelo contrário, tem o potencial de ser uma grande aliada, como veremos no capítulo 5. Com o bom uso de invenções diversas — dentro e fora do lar — talvez possamos equilibrar melhor as forças para que tenhamos mais tempo, saúde e recursos para fazer boas escolhas alimentares.

Em *Quem vai fazer essa comida?*, procurei abordar uma série de assuntos complexos e interligados que estão na raiz das desigualdades alimentares enfrentadas pelos brasileiros — e que são a expressão mais triste de nossas imensas disparidades sociais. Não podemos mais tolerar um país onde haja gente com fome. Isso é degradante e ultrajante. Da mesma maneira, não podemos aceitar que essa fome seja supostamente combatida com alimentos ultraprocessados que adoecem o corpo, a mente e o planeta.

Espero que este livro contribua para introduzir publicamente uma discussão que nos conduza a uma sociedade composta por cidadãos bem alimentados e saudáveis, e que só assim poderão ser agentes da própria história.

CAPÍTULO 1

"Quem faz a comida que se vire"

~~~

Numa terça-feira à tarde, sentei na varanda de casa com a Vanessa dos Santos, que trabalha comigo como empregada doméstica há quatro anos. Ela estava curiosa para saber o que eu, que trabalho com comida, tanto escrevia no computador. Contei que estava preparando um livro sobre os vários aspectos que afetam a nossa alimentação para além da comida em si: o acesso aos alimentos, os impactos da indústria, a disponibilidade de tempo e de ajuda para cozinhar e, principalmente, a valorização de quem faz a nossa comida.

A Vanessa trabalha no meu apartamento de segunda a quinta e dorme aqui nesses dias. Na quinta à tarde, quando volta para a sua casa — um sobrado em cima da casa da mãe, no bairro de Paraisópolis, em São Paulo —, ela chega direto para começar a limpeza. A Vanessa se sente obrigada a compartilhar as tarefas domésticas com a mãe, Dona Maria Rosa, pois é a mãe quem cuida do seu filho mais novo, Danilo, de doze anos, enquanto ela trabalha aqui comigo. Descanso, mesmo, só no domingo, porque no sábado a Vanessa faz faxina na própria casa, e sua mãe cuida da alimentação dos dois lares.

Graças à preferência alimentar de Dona Maria Rosa e às suas habilidades culinárias, a alimentação da família é baseada em comida de panela. Arroz, feijão, legumes, pouca carne e ovos fazem parte das principais refeições. Dona Maria Rosa cresceu comendo isso e é disso que ela gosta; não é muito chegada aos alimentos prontos ou semiprontos vendidos no supermercado. Vanessa e seus irmãos foram criados da mesma forma.

Conhecer os hábitos alimentares da família da Vanessa foi uma grata surpresa para mim, porque, infelizmente, a comida de panela vem perdendo espaço nos lares brasileiros, sobretudo nas periferias.[11] Sabemos que a praticidade, o preço baixo[12] e a alta palatabilidade dos alimentos ultraprocessados, combinados com a falta de acesso à comida fresca e com a falta de tempo, de conhecimento, de ferramentas culinárias e de dinheiro, empurram muitas pessoas para a transição a uma dieta à base de ultraprocessados. Mas a Vanessa e sua família resistem. E isso se dá, sim, pela recusa a abrir mão da comida caseira, mas sobretudo pela presença da Dona Maria Rosa. Com conhecimento culinário, tempo e disposição para fazer o trabalho de comprar, preparar, cozinhar e servir a comida, ela garante à família uma alimentação muito próxima da ideal, segundo o *Guia alimentar para a população brasileira*.

Em 2015, uma reportagem do site de notícias *Vox* disse que, graças ao guia, o Brasil "tem as melhores orientações alimentares do mundo".[13] O documento, publicado pelo Ministério da Saúde em 2014, é considerado por muitos especialistas dentro e fora do país como "revolucionário" por tirar o foco dos aspectos puramente nutricionais dos alimentos (ou seja, classificá-los pelos macronutrientes que possuem: proteínas, carboidratos, gorduras etc.) e introduzir uma nova

---

[11] "Aos pobres, as salsichas", *Nexo*, 26 maio 2022.
[12] "Alimentação saudável será mais cara do que a não saudável a partir de 2026", Alimentando Políticas, jan. 2020.
[13] "Brazil has the best nutritional guidelines in the world", *Vox*, 20 fev. 2015.

recomendação, com base no grau e no propósito do processamento[14] — isto é, diferenciando alimentos in natura, minimamente processados, processados e ultraprocessados.

No entanto, não é apenas essa inovadora forma de classificar os alimentos que faz com que o *Guia alimentar para a população brasileira* seja tão elogiado. Além da informação nutricional, o guia explica como os alimentos podem ser combinados entre si e preparados, levando em consideração os aspectos culturais e sociais das práticas alimentares. Em vez de priorizar um único campo de conhecimento científico, como a medicina ou a nutrição, o documento elaborado pelo Ministério da Saúde contemplou diferentes saberes, científicos e tradicionais, reconhecendo que comer não é apenas uma forma de nutrir o corpo.

É salutar a maneira como o *Guia alimentar para a população brasileira* se mostra engajado e sintonizado com o tempo presente, considerando, entre outros aspectos, as condições de saúde mais preocupantes da população e a questão ecológica. Ao propor recomendações para lidar com o desequilíbrio na oferta de nutrientes e com a ingestão excessiva de calorias, a publicação busca a prevenção das principais doenças não transmissíveis que afetam os brasileiros, como obesidade, diabetes, pressão alta, doenças cardiovasculares e câncer. Ao mesmo tempo, orienta para a redução do impacto sobre os recursos naturais e a biodiversidade e para a justiça social, valorizando a agricultura familiar e o processamento mínimo dos alimentos. Sobretudo, o guia reconhece que

---

[14] O *Guia alimentar para a população brasileira* usa como base a classificação NOVA, que divide os alimentos conforme o grau e o propósito do processamento, e é considerada internacionalmente como um marco nos estudos de nutrição e saúde.

DEZ PASSOS PARA UMA ALIMENTAÇÃO SAUDÁVEL

segundo o *Guia alimentar para a população brasileira*

~ 1 ~
Fazer de alimentos in natura ou minimamente processados a base da alimentação

Predominantemente de origem vegetal, alimentos in natura ou minimamente processados são a base ideal para uma alimentação balanceada, saborosa, sustentável e com significado cultural e social. Entre eles estão categorias como grãos, raízes, tubérculos, farinhas, legumes, verduras, frutas, castanhas, leite, ovos e carnes. A melhor parte é a enorme variedade, para se encaixar em cada gosto, estação e região.

~ 2 ~
Utilizar óleos, gorduras, sal e açúcar em pequenas quantidades, como parte de receitas

Utilizados com moderação, em pratos cujas bases são alimentos in natura ou minimamente processados, óleos, gorduras, sal e açúcar contribuem para diversificar e tornar mais saborosa a alimentação, sem comprometer a nutrição.

~ 3 ~
Limitar o consumo de alimentos processados

Os ingredientes e métodos usados na fabricação de alimentos processados — como conservas de legumes, compota de frutas, pães e queijos — alteram de modo desfavorável a composição nutricional. Em pequenas quantidades, podem ser consumidos como ingredientes de preparações culinárias ou parte de refeições baseadas em alimentos in natura ou minimamente processados.

~ 4 ~
Evitar o consumo de alimentos ultraprocessados

Comidas ultraprocessadas — como refrigerantes, biscoitos e salgadinhos empacotados e macarrão instantâneo — contêm ingredientes industriais pouco nutritivos que atrapalham sua sensação de saciedade. Por isso, tendem a ser consumidos em excesso e a substituir alimentos in natura ou minimamente processados. Suas formas de produção, distribuição, comercialização e consumo afetam de modo desfavorável a cultura, a vida social e o meio ambiente.

~ 5 ~

Comer com regularidade e atenção e, de preferência, em companhia

Procure fazer suas refeições em horários semelhantes todos os dias, degustando o que está comendo, sem se envolver em outra atividade. Alimente-se em lugares confortáveis e tranquilos, onde não haja estímulos para o consumo de quantidades ilimitadas de alimento. Sempre que possível, coma com alguém; a companhia nas refeições favorece uma experiência melhor, com mais regularidade, atenção e prazer. Compartilhe também as atividades domésticas que antecedem ou sucedem o consumo das refeições.

~ 6 ~

Fazer compras em locais que oferecem variedades de alimentos in natura ou minimamente processados

Procure comprar em mercados, feiras livres, feiras de produtores e outros locais que comercializam variedades de alimentos in natura ou minimamente processados. Prefira legumes, verduras e frutas da estação e cultivados localmente. Sempre que possível, adquira alimentos orgânicos e de base agroecológica, de preferência diretamente dos produtores.

~ 7 ~

Aprender, praticar e compartilhar habilidades culinárias

Se você sabe cozinhar, procure desenvolver e partilhar suas habilidades, principalmente com crianças e jovens, sem distinção de gênero. Se você não tem habilidades culinárias — e isso vale para homens e mulheres —, procure adquiri-las. Para isso, converse com as pessoas que sabem cozinhar, peça receitas a familiares, amigos e colegas, leia livros, consulte a internet, eventualmente faça cursos e insira o hábito de cozinhar na sua rotina.

~ 8 ~

Planejar o uso do tempo para dar à alimentação o espaço que ela merece

Planeje as compras de alimentos, organize a despensa doméstica e defina com antecedência o cardápio da semana. Divida a responsabilidade por todas as etapas relacionadas ao preparo de refeições com os membros de sua família. Faça da preparação de refeições e do ato de comer momentos privilegiados de convivência e prazer. Reavalie como tem usado o seu tempo e crie espaço na agenda para os atos de cozinhar e comer com calma.

~ 9 ~

Dar preferência, quando fora de casa, a locais que servem refeições feitas na hora

No dia a dia, procure locais que servem refeições feitas na hora e a preço justo. Restaurantes de comida a quilo podem ser boas opções, assim como refeitórios que servem comida caseira em escolas ou no local de trabalho. Evite redes de fast-food.

~ 10 ~

Ser crítico quanto a informações e mensagens sobre alimentação veiculadas em propagandas

A função essencial da publicidade é aumentar a venda de produtos, e não informar nem muito menos educar. Avalie criticamente o que você lê, vê e ouve sobre alimentação em propagandas comerciais e estimule outras pessoas, particularmente crianças e jovens, a fazerem o mesmo.

indivíduos, famílias e comunidades têm autonomia para fazer escolhas alimentares, reforçando que comida fresca e refeições preparadas com prazer e em boa companhia são parte indissociável do direito humano básico à alimentação saudável e adequada. Munidas de boas orientações — que são ao mesmo tempo simples de entender e abrangentes o suficiente para respeitar as particularidades regionais —, as pessoas podem fazer escolhas melhores.

Contudo, passados quase dez anos de sua elaboração, será que estamos mais próximos de realizar os dez passos da alimentação saudável destacados pelo *Guia alimentar para a população brasileira*?

Alimentos ultraprocessados: qual é o problema, afinal?

Já foi declarado que a ingestão de alimentos ultraprocessados é uma das atitudes que contribuem significativamente para doenças crônicas relacionadas à dieta (Forouzanfar *et al.*, 2015). Há alguns anos, a FAO divulgou um relatório (Monteiro *et al.*, 2019) mostrando a associação entre o consumo de alimentos ultraprocessados e doenças crônicas não transmissíveis, e confirmando a relação entre consumo de ultraprocessados e obesidade, doenças cardiovasculares, câncer, depressão, distúrbios gastrointestinais e desfechos relacionados a fragilidade e mortalidade (Jaime *et al.*, 2021).

As doenças crônicas não transmissíveis, também conhecidas apenas como doenças crônicas, são hoje as que mais matam no mundo: 41 milhões de pessoas perdem a vida todos os anos devido às DCNT, o que equivale a 75% do total mundial de óbitos, substituindo decisivamente doenças infecciosas e desnutrição como a principal causa de morte global.[15] Os principais tipos de DCNT são doenças cardiovasculares (como ataques cardíacos e derrames), câncer, doenças respiratórias crônicas (como doença pulmonar obstrutiva crônica e asma) e diabetes. As doenças cardiovasculares são responsáveis pela maioria das mortes por DCNT, ou cerca de dezoito milhões de óbitos anualmente, seguidas por câncer (nove milhões), doenças respiratórias (quatro milhões) e diabetes (1,6 milhão).

As DCNT tendem a ter longa duração e são o resultado da combinação de fatores genéticos, fisiológicos, ambientais e comportamentais, incluindo a dieta. A rápida urbanização não planejada, a globalização de estilos de vida insalubres e o envelhecimento populacional impulsionam essas doenças. Dietas que não são saudáveis e falta de atividade física podem levar ao aumento da pressão arterial e da glicemia, a taxas elevadas de lipídios sanguíneos e à obesidade — os chamados fatores de risco metabólicos, que aumentam as chances de desenvolvimento ou agravamento de doenças cardiovasculares. No Brasil, o consumo de alimentos ultraprocessados mata 57 mil pessoas por ano — número maior que a já escandalosa taxa de homicídios do país.[16]

Do ponto de vista estritamente econômico, estimativas sugerem que a má nutrição, em todas as suas formas,[17] pode

---

[15] "Non communicable diseases", Organização Mundial da Saúde, 16 set. 2022. Disponível em: https://www.who.int/news-room/factsheets/detail/noncommunicable-diseases.
[16] "Brasil tem 57 mil mortes por ano devido ao consumo de ultraprocessados, estima pesquisa", *O Joio e O Trigo*, 7 nov. 2022.
[17] A Organização Mundial da Saúde (OMS) define má nutrição como um desequilíbrio na ingestão de energia ou nutrientes de uma pessoa. Esse desequilíbrio resulta em duas condições: a subnutrição, carac-

custar até 3,5 trilhões de dólares por ano em todo o mundo — apenas sobrepeso e obesidade custam cerca de quinhentos bilhões.[18] Projeções indicam que a carga econômica global das DCNT será de 47 trilhões de dólares entre 2010 e 2030: ou seja, parte significativa do valor de todos os bens e serviços que produzimos globalmente está sendo usada para pagar os danos causados por doenças geradas pelo estilo de vida que criamos para produzir esses bens e serviços (Chen *et al.*, 2018; Bloom *et al.*, 2017, 2011).

Vemos, portanto, que o sistema econômico gasta parcela considerável das riquezas que produz para tratar doenças que ele mesmo provoca. E, finalmente, que as consequências da obesidade estão contribuindo para mais de cinco milhões de mortes a cada ano (Okunogbe *et al.*, 2021), a um custo anual estimado de um a dois trilhões de dólares,[19] o que é semelhante às despesas geradas pelo uso de tabaco no mundo de hoje.[20]

---

terizada por deficiências ou insuficiências de micronutrientes; ou a obesidade, consequência do consumo de nutrientes em excesso. A má nutrição, em todas as suas formas, inclui a subnutrição (definhamento, deficiência de crescimento, baixo peso), vitaminas ou minerais em proporções inadequadas, excesso de peso, obesidade e doenças resultantes da dieta e não transmissíveis. Ver: "Alimentação e nutrição", Rede Interinstitucional para a Educação em Situações de Emergência, s.d. Disponível em: https://inee.org/pt/colecoes/alimenp tacao-e-nutricao.

18 "Alimentação e nutrição", Rede Interinstitucional para a Educação em Situações de Emergência, s.d. Disponível em: https://inee.org/pt/colecoes/alimentacao-e-nutricao.

19 "Global cost of obesity-related illness to hit $1.2tn a year from 2025", *The Guardian*, 10 out. 2017.

20 De acordo com Okunogbe *et al.* (2021), os custos associados à obesidade podem chegar a 3,6% do PIB mundial em 2060. Ver também: "Custos atribuíveis ao tabagismo", Instituto Nacional do Câncer, 26 ago. 2022.

Sabemos que os alimentos ultraprocessados estão ganhando cada vez mais espaço nos lares brasileiros de todas as classes sociais, principalmente dos mais vulneráveis (Levy *et al.*, 2022b). Os cientistas dizem que a crescente disponibilidade de alimentos altamente processados e pobres em nutrientes acarreta um novo tipo de desnutrição, na qual indivíduos estão ficando acima do peso, porém carentes de nutrientes. Em todo o mundo, mais pessoas estão obesas do que abaixo do peso.[21] O aumento do consumo de alimentos rápidos, práticos e baratos — "convenientes" — levou a uma epidemia de diabetes e doenças cardíacas, além de outras doenças crônicas que são potencializadas por taxas crescentes de obesidade[22] em lugares que lutavam contra a fome e a desnutrição há apenas uma geração. Ou seja, apesar de a fome atingir 828 milhões de pessoas em todo o mundo, hoje o excesso de comida pobre em nutrientes tem impacto semelhante à falta de comida nas taxas de mortalidade mundiais.[23] A má nutrição, portanto, não está relacionada com a quantidade de alimentos produzidos, mas com a produção e a distribuição de alimentos, centralizadas em um punhado de corporações; com a financeirização dos alimentos, que passam a ser tratados como mera mercadoria (commodity); com a falta de regulamentação

---

[21] "Já existem mais obesos que famintos", Nações Unidas Brasil, 16 jul. 2019.
[22] "Epidemia de obesidade é resultado de alteração do padrão alimentar", *Agência Fapesp*, 5 abr. 2018.
[23] Ver: "Obesity", Organização Mundial da Saúde, 9 jun. 2021. Disponível em: https://www.who.int/news-room/facts-in-pictures/detail/6-facts-on-obesity; e "In world of wealth, 9 million people die every year from hunger, WFP Chief tells Food System Summit", Programa Mundial de Alimentos, 24 set. 2021.

para os produtos multinacionais; e com a impossibilidade de as famílias escolherem como e o que comer.

Do ponto de vista da saúde pública, muitas DCNT são evitáveis através de uma boa prevenção primária e secundária, incluindo dietas saudáveis (Moura & Pinheiro, 2020). Logo, para proporcionar boas condições para a prosperidade humana, precisamos gozar de um amplo acesso à comida de qualidade. Privilegiar o consumo de alimentos in natura ou minimamente processados é uma das formas de prevenir os problemas de saúde sociais e ambientais causados pelo consumo excessivo de ultraprocessados. Como veremos adiante, porém, resistir aos ultraprocessados é muito mais complexo do que podemos imaginar.

Como a comida virou (agro)negócio?

Historicamente falando, tudo aconteceu muito rápido. Ao longo do século XX, o trabalho agrícola foi mecanizado; os agrotóxicos passaram a ter uma presença cada vez maior nos cultivos de todo o mundo; trens, navios e aviões revolucionaram a velocidade e a tonelagem do transporte de cargas. A liberalização do comércio eliminou boa parte das barreiras tarifárias, e a financeirização permitiu que os mercados futuros vendessem as colheitas antes mesmo da semeadura. Grandes empresas investiram pesado na comercialização e no desenvolvimento de novas tecnologias de preservação e transformação dos alimentos, produzindo comidas e bebidas para o consumo urbano (Santos & Glass, 2018, p. 10).

O comércio varejista alimentar permaneceu local e familiar até a década de 1950 nos Estados Unidos e até a década de 1960 na Europa, quando surgiram as cadeias de supermercados. "A maneira como os supermercados se estruturam reflete o clima de otimismo da segunda metade do século XX. Uma era na qual havíamos superado as grandes guerras, na qual a tecnologia e a industrialização prometiam sanar absolutamente todos os problemas", escrevem João Peres e Vitor Matioli (2020, p. 14) no livro *Donos do mercado*. "Agronegócio e supermercados são causa e consequência. [...] Não importa quem nasceu primeiro: um não existiria sem o outro". A partir da experiência estadunidense, afirmam os autores, fica claro "que os supermercados se tornaram a vitrine imprescindível para uma agricultura industrializada" (Peres & Matioli, 2020, p. 18).

Em meados do século XX, os fabricantes transnacionais de maquinários e agrotóxicos, juntamente com a recém-criada indústria de sementes, abriram o caminho para a mecanização da agricultura nos países do chamado Primeiro Mundo. Com a Revolução Verde, sementes transgênicas, fertilizantes, agrotóxicos e máquinas alcançaram a Ásia e a América Latina. E os oligopólios, nos quais poucas corporações determinam as regras do jogo, surgiram em vários estágios ao longo da cadeia de valor dos alimentos. Na Universidade Harvard, em 1955, criou-se o conceito de *agribusiness* (Pompeia, 2021, p. 47), que anos mais tarde chegaria ao Brasil e, com o tempo, adotaria por aqui o nome de "agronegócio", englobando as cadeias produtivas a jusante e a montante da fazenda.[24] Era o surgimento de

---

[24] "Funções a montante são aquelas vinculadas sobretudo ao fornecimento de máquinas e insumos à agropecuária. Funções a jusante são relacionadas principalmente à armazenagem, ao transporte, à industrialização e ao comércio de itens originários da agropecuária" (Pompeia, 2021, p. 56).

uma hegemonia em que empresas do setor ditam o que, como e quanto plantar e comer.

O alimento se transformou assim em commodity, ou seja, em um tipo de mercadoria que, além da sua característica enquanto alimento propriamente dito, é negociada no mercado global como quaisquer outras, na condição de produtos de base em estado bruto (matérias-primas) ou com pequeno grau de industrialização, de qualidade quase uniforme, produzidos em grandes quantidades e por diferentes produtores ao redor do mundo. Ou seja, um grande importador de milho, soja ou trigo pode comprá-los de qualquer país, porque eles são cultivados e colhidos de maneira semelhante, com resultados semelhantes.

De acordo com o geógrafo Ariovaldo Umbelino de Oliveira (2012, p. 6),

> a agricultura sob o capitalismo monopolista mundializado passou a estruturar-se sobre três pilares: a produção de commodities, as bolsas de mercadorias e de futuro e os monopólios mundiais. Primeiro, visou transformar toda produção agropecuária, silvicultora e extrativista, em produção de mercadorias para o mercado mundial. Portanto, a produção de alimentos deixou de ser questão estratégica nacional, e passou a ser mercadoria a ser adquirida no mercado mundial onde quer que ela seja produzida.

Lembro de uma notícia de 2018 (mas que se repete a cada ano e em várias partes do planeta) sobre produtores de batata em Minas Gerais que despejaram mais de quatrocentas toneladas do alimento nas margens de uma rodovia.[25]

---

[25] "Produtores rurais descartam batata às margens de BR-354 após queda de preço em São Gotardo", *G1*, 18 abr. 2018.

O motivo era o preço de venda do tubérculo na época da colheita, que não cobria os custos de produção. O exemplo mostra como os agricultores podem sentir na pele a financeirização e a comoditização dos alimentos.

Assim, ao longo do século XX, saímos da agricultura e chegamos ao agronegócio, "alterando o modo de vida e as territorialidades das comunidades rurais e transformando famílias agricultoras em meros elos de uma cadeia produtiva, o que faz com que percam a autonomia de decidir o que vão produzir, como e para quem vão vender" (Campos & Campos, 2007). Ideologicamente, o agronegócio vem se afirmando como corolário da modernização e do desenvolvimento em países como o Brasil, especialmente a partir de um intenso investimento em propaganda. Graças às constantes inserções publicitárias da Rede Globo, por exemplo, temos na ponta da língua que o "agro é tech, o agro é pop, o agro é tudo". O slogan penetrou com tanta força nosso imaginário que não conseguimos escapar dele nem quando queremos criticar o "agro".[26] Além disso, são cotidianos os discursos políticos e as reportagens mostrando as "vantagens" do agronegócio em TVs, rádios, jornais, revistas, sites — e inclusive em cartilhas escolares.[27] No plano cultural, o agro está intimamente relacionado com o sertanejo, um dos maiores fenômenos do show business brasileiro contemporâneo — com direito a polêmicas envolvendo o uso de verbas públicas em cidades pequenas.[28]

---

26 Ver, entre outros exemplos: "'O Agro não é pop': estudo aponta que a fome é resultado do agronegócio", *Brasil de Fato*, 20 out. 2021; e Articulação Agro é Fogo, s.d. Disponível em: https://agroefogo.org.br.
27 "Cartilha 'ABC do Agro' aborda conteúdo educativo para desmistificar o setor por meio da alfabetização", *O Presente Rural*, 12 jan. 2023.
28 "Contratos de pequenas prefeituras de MG com sertanejos superam R$ 7 milhões", *Estado de Minas*, 31 maio 2022.

"A meta parece ser construir no imaginário social a ideia de que agronegócio é sinônimo de progresso, emprego e responsabilidade social, e que, por isso, é bom para tudo e para todos" (Campos & Campos, 2007).

Um dos indicadores do avanço do agronegócio é o aumento da produção de grãos, que é destinada sobretudo à exportação: para a safra 2022-2023, a Conab prevê a colheita de aproximadamente 312,4 milhões de toneladas.[29] Outro indicador do avanço do agronegócio é o crescimento de sua participação no PIB nacional: no biênio 2020-2021, representava 26,6% de todas as riquezas produzidas no país; em 2021 a participação chegou 27,4%.[30]

Mas o avanço do agronegócio está muito longe de ocorrer de maneira harmônica. Seu desenvolvimento é marcado por muitos paradoxos, entre os quais o aumento da insegurança alimentar, da desigualdade social, dos conflitos no campo e da destruição ambiental (Campos & Campos, 2007). Vive-se no Brasil e em outras partes da América Latina uma situação surreal, em que se produz e se exporta milhões de toneladas de alimentos — quer dizer, commodities alimentares —, enquanto grande parte da população tem dificuldade de se alimentar, conforme já pontuamos na Introdução.

---

29 "Conab prevê novo recorde na produção de grãos em 312,4 milhões de toneladas na safra 2022/23", Companhia Nacional de Abastecimento, 6 out. 2022.
30 "Agro gera 27% do PIB e é setor seguro e promissor para quem quer investir; veja oportunidades", *Exame*, 1º ago. 2022.

O que escondem os ultraprocessados?

Um dos efeitos colaterais da modernização do sistema alimentar é o recrudescimento do divórcio entre o ser humano e a natureza. A maior parte das pessoas que vive em áreas urbanizadas perdeu a conexão com o solo, com as plantas e, consequentemente, com os alimentos, e não sabe de onde vem o que come, quem o está cultivando ou processando e quais são os principais impactos de suas escolhas alimentares sobre a sociedade e o meio ambiente. Claramente, temos um sistema alimentar que contribui para as mudanças climáticas (Poore & Nemecek, 2018), para o desperdício de alimentos,[31] para o esgotamento dos recursos naturais (Benton *et al.*, 2021), para a concentração de poder, para a pobreza, para a fome e para a epidemia de obesidade.

A força motriz do sistema alimentar moderno é o lucro, segundo o qual os benefícios de cultivar, processar, armazenar, distribuir, vender e comprar alimentos devem resultar dos custos de fazê-lo, apesar de suas consequências ecológicas, sociais e econômicas. Para construir um sistema alimentar resiliente, justo e sustentável, no qual alimentos de boa qualidade e em quantidade suficiente estejam disponíveis para todos os cidadãos, devem ocorrer mudanças fundamentais na produção, na distribuição, no consumo e no descarte de alimentos. São muitos os atores envolvidos na construção de um sistema alimentar saudável: do setor privado ao

---

[31] "Food loss and food waste", Organização das Nações Unidas para a Alimentação e a Agricultura, s.d. Disponível em: https://www.fao.org/policy-support/policy-themes/food-loss-food-waste/en/.

público, do governo à sociedade, dos agricultores aos consumidores e todas as cozinheiras profissionais e do lar, que podem trazer mudanças efetivas à atual ordem das coisas.

A primeira crítica que ouço quando incentivo o consumo de alimentos frescos e orgânicos é que são produtos mais caros — o que, em parte, é verdade, e é preciso entender como e por que muitos ultraprocessados acabam chegando às prateleiras dos supermercados com preços surpreendentemente baixos. Conforme escreve Ricardo Abramovay, "a economia global se apoia no uso crescente de serviços oferecidos pela natureza, dos quais as empresas dependem — mas que elas sistematicamente destroem — e pelos quais, ao menos até aqui, não pagam nada ou quase nada".[32]

Água, descarte de resíduos, erosão da biodiversidade, poluição atmosférica e emissões de gases de efeito estufa são alguns exemplos dos usos gratuitos e destrutivos que o sistema econômico faz da natureza. Trabalho em condições análogas à escravidão, péssimas condições de trabalho e superexploração da mão de obra são violações graves dos direitos humanos que também podem ser contabilizadas como "recursos" que barateiam a cadeia produtiva dos ultraprocessados.[33] Espessantes, corantes, aromatizantes, estabilizantes e uma série de outros aditivos químicos são usados na fabricação de bens alimentares com o intuito de baratear o custo de produção, sempre, com danos à saúde. Com isso, o meio ambiente, os trabalhadores e os consumidores pagam por esse preço baixo arcando com destruição, exploração e doenças.

---

[32] "O preço da destruição", *A Terra é Redonda*, 25 nov. 2021.
[33] "Tudo o que sabemos sobre ultraprocessados", *O Joio e O Trigo*, 5 set. 2022.

A maior parte dos produtos ultraprocessados tem como base ingredientes provenientes de monoculturas nas quais se utilizam imensas quantidades de agrotóxicos. Essas monoculturas, sobretudo de soja e milho, são subsidiadas pelo governo federal, e parcela significativa dos seus insumos é isenta de impostos. Desde 2004, o setor de agrotóxicos é beneficiado por uma lei que prevê a isenção do pagamento de tributos na importação e sobre a receita bruta de venda no mercado interno.[34]

> Os benefícios fiscais concedidos aos agrotóxicos em 2017 se aproximam de dez bilhões de reais, sendo que o tributo responsável pelo maior montante desonerado em 2017 foi o ICMS [Imposto sobre a Circulação de Mercadorias e Serviços], com 63,1% do total. Em seguida, o IPI [Imposto sobre Produtos Industrializados] com 16,5%, as contribuições sociais PIS/Pasep [Programa de Integração Social/Programa de Formação do Patrimônio do Servidor Público] e Cofins [Contribuição para o Financiamento da Seguridade Social], com 15,6% e, por último e com o menor montante, o imposto de importação, com 4,8%. (Soares, Cunha & Porto, 2020)

O Estado brasileiro pode e deve isentar de impostos itens considerados essenciais à população. Contudo, é revoltante que sejam mantidos benefícios fiscais a produtos que comprovadamente causam inúmeros danos à nossa saúde e destroem a nossa biodiversidade. E a indignação é ainda maior porque todas essas isenções têm sido praticadas em

---

[34] "Entenda por que a isenção fiscal de agrotóxicos é o 'incentivo' que mais desfavorece o Brasil", Terra de Direitos, 26 jun. 2019.

nome de uma falsa noção de segurança e soberania alimentar e nutricional.

Se quisermos tornar os alimentos orgânicos acessíveis para todos, um grande passo é começar a taxar pesadamente a produção e comercialização de agrotóxicos. Além da não arrecadação de tributos pelo Estado, o uso desses compostos químicos traz outros prejuízos aos cofres públicos. Um estudo revela que, para cada dólar gasto com a compra de agrotóxicos no Paraná, por exemplo, gasta-se 1,28 dólar no tratamento de intoxicações agudas — aquelas que ocorrem imediatamente após a aplicação desse tipo de produto (Soares & Porto, 2012). O cálculo não considera os gastos com saúde pública em decorrência da exposição constante aos defensivos agrícolas, como com o tratamento do câncer.

Outro setor beneficiado com isenções fiscais bilionárias — além de créditos por impostos que jamais pagaram[35] — é o das bebidas açucaradas,[36] que facilmente poderiam ser consideradas como "não essenciais" na alimentação de um indivíduo, estimulando a tributação. É ultrajante que o dinheiro dos nossos impostos seja usado para baratear o preço dos refrigerantes. São produtos que fazem mal à saúde, exploram os trabalhadores[37] e agridem a natureza,[38] principalmente

---

[35] "Coca-Cola e Ambev manobram para lucrar com impostos e recebem R$ 1,6 bi de Paulo Guedes e Bolsonaro", *O Joio e O Trigo*, 12 fev. 2021.
[36] "STF dá liminar favorável a manutenção de benefício fiscal para bebidas adoçadas", *Blog ACT*, 6 jun. 2022.
[37] "Trabalhadores são resgatados em condição degradante em fábrica da Coca-Cola", *Estado de Minas*, 23 out. 2014.
[38] "Coca-Cola lidera ranking de maiores poluidores de plástico do planeta pelo quarto ano consecutivo", *Conexão Planeta*, 27 out. 2021.

devido à maneira pela qual seus insumos (entre eles, o açúcar) são produzidos e às suas embalagens plásticas.

Os grandes fabricantes de refrigerantes recebem de quinze a vinte centavos de subsídio governamental para cada lata consumida.[39] No Brasil, o consumo médio anual de refrigerantes (sem contar outras bebidas açucaradas) foi de 58,27 litros por habitante em 2020 — em 2010, eram 88,9 litros por habitante.[40] Uma pesquisa da consultoria internacional Euromonitor afirma que o brasileiro bebe, em média, catorze latinhas por mês, e 20% da população afirma tomar refrigerantes todos os dias.[41] Os números mostram o tamanho do dreno que esses subsídios representam aos cofres públicos. Enquanto isso, o tratamento de doenças relacionadas ao consumo de bebidas açucaradas custa cerca de três bilhões de reais por ano ao sistema de saúde nacional.[42]

O Estado brasileiro também beneficia fiscalmente o agronegócio com a chamada Lei Kandir, sancionada em 1996, que isenta de ICMS os produtos primários destinados à exportação. Ou seja, é mais vantajoso vender alimentos para outros países do que para o mercado interno. Essa legislação ajuda a explicar por que existem tantos brasileiros passando fome — entre

---

[39] "O subsídio que mata: os gastos tributários na indústria de refrigerantes", Instituto de Estudos Socioeconômicos, 24 out. 2010.
[40] "Refrigerantes", Associação Brasileira das Indústrias de Refrigerantes e de Bebidas Não Alcoólicas, s.d. Disponível em: https://abir.org.br/o-setor/dados/refrigerantes/
[41] "Pesquisa sobre refrigerantes: dados do mercado no Brasil", *Opinion Box*, 14 fev. 2020.
[42] "Consumo de refrigerantes resulta em gastos de R$ 2,9 bi por ano à Saúde no Brasil", *O Globo*, 7 jan. 2021.

os quais se contabilizam dez milhões de crianças com até seis anos[43] — enquanto o país bate recordes na produção de grãos.

Há ainda outros exemplos de isenção fiscal ao agronegócio e aos ultraprocessados. Os pesquisadores Arnoldo de Campos e Edna Carmélio (2022) sistematizaram as formas pelas quais o sistema tributário atual favorece o ultraprocessamento de alimentos, ao invés de privilegiar a produção e o consumo de frutas, verduras, legumes e grãos — em clara discordância com o *Guia alimentar para a população brasileira*. Isso acontece com alimentos ultraprocessados que são incluídos na cesta básica — ou seja, que passam a ser considerados pelo governo estadual como essenciais à população, usufruindo assim de incentivos fiscais. Esse é o caso da salsicha, que integra a lista de produtos da cesta básica em São Paulo e no Paraná, e do macarrão instantâneo, que faz parte da cesta básica na Bahia e no Paraná, afirmam Campos e Carmélio (2022, p. 36). Por outro lado, a pesquisa revela que não há incentivos fiscais a alimentos orgânicos ou agroecológicos. "Em algumas situações, [...] os alimentos orgânicos pagam quase quatro vezes mais tributos que os convencionais sobre a mesma unidade do produto" (Campos & Carmélio, 2022, p. 44). Isso faz com que um litro de suco de uva orgânico seja tributado em 5,72 reais, enquanto um litro de néctar de uva convencional, cheio de açúcar e corantes, pague apenas 1,47 real.[44]

---

[43] "Pobreza ou extrema pobreza atingem dez milhões de crianças com até seis anos no Brasil", *Jornal Hoje*, 11 out. 2022.
[44] "Como o sistema tributário favorece ultraprocessados e dificulta acesso a alimentos saudáveis", *Blog ACT*, 8 ago. 2022.

Por que estamos tão longe do ideal? Questões de acesso

Uma das principais falhas de parte do movimento pela alimentação saudável é a aposta exagerada na difusão de informações sobre os malefícios dos ultraprocessados como principal estratégia para mudar os hábitos alimentares da população, como se o consumo desses produtos fosse puramente uma questão de escolha racional, e como se as restrições a sua fabricação e venda pudessem ser alcançadas por mera vontade individual: supostamente, se quiséssemos, poderíamos parar de comprar salsichas, biscoitos e macarrões instantâneos, cozinhar nosso próprio alimento com ingredientes frescos e comer comida de panela, revolucionando nosso cotidiano. Não há dúvida de que muitas pessoas tiveram a força e a oportunidade de transformar sua alimentação e comer melhor, o que as fez acreditar que as mudanças que aplicaram à própria vida pudessem ser vistas como um simples ato de vontade. No entanto, para milhões de pessoas, essas recomendações podem se tornar nada mais do que uma suposição de culpa, se não formos capazes de construir as condições materiais e psicológicas que as tornam verdadeiramente possíveis.

Nem todo mundo tem a chance de seguir os conselhos maravilhosos dos órgãos de saúde, pois, como cidadãs e cidadãos brasileiros, não conseguem gozar plenamente do direito humano à alimentação adequada.[45] O que e como comer não são

---

[45] De acordo com o Conselho Nacional de Segurança Alimentar e Nutricional (Consea) — extinto em 1º de janeiro de 2019 pelo presidente Jair Bolsonaro e recriado em 1º de janeiro de 2023 pelo presidente Luiz Inácio Lula da Silva —, o Direito Humano à Alimentação Adequada (DHAA) é o direito de cada pessoa ter acesso físico e econômico,

escolhas totalmente livres: são decisões e hábitos informados por uma série de fatores em diversas esferas, e nem mesmo o melhor guia alimentar do mundo será capaz de mudar esse cenário sozinho. Somos bombardeados por todos os lados — anúncios no rádio, na TV, na internet e nas ruas — e pela grande disponibilidade — pois estão à venda em praticamente cada esquina — por produtos ultraprocessados, desenvolvidos pela indústria alimentícia para serem sedutores, viciantes[46] e extremamente fáceis de comercializar (porque não são perecíveis e foram pensados para ocupar um espaço previsível numa bancada) e consumir (porque não exigem tempo de preparo nem pausas no trabalho: basta desembrulhar e comer).

Vamos explorar, então, cinco fatores essenciais de acesso para que escolhas alimentares mais saudáveis sejam realmente possíveis para todos.

I. Acesso intelectual

Quem tem acesso à informação de qualidade? Quem tem acesso à formação necessária para poder questionar, pesquisar e fazer escolhas realmente conscientes e responsáveis?

~~~

ininterruptamente, à alimentação adequada ou aos meios para obter esses alimentos, sem comprometer os recursos para obter outros direitos fundamentais, como saúde e educação. O DHAA significa tanto que as pessoas estão livres da fome e da desnutrição como que têm acesso a uma alimentação adequada e saudável, e está previsto nos artigos 6º e 227 da Constituição Federal, definido pela Lei Orgânica de Segurança Alimentar e Nutricional, bem como no artigo 11 do Pacto Internacional de Direitos Econômicos, Sociais e Culturais e em outros instrumentos jurídicos internacionais.

46 "Alimentos gordurosos e doces: por que dão prazer e ao mesmo tempo fazem mal", *G1*, 19 jun. 2022.

Como dissemos, por mais que o Ministério da Saúde tenha criado um *Guia alimentar para a população brasileira* excelente, didático, culturalmente respeitoso, gratuito e acessível, a indústria alimentícia e os restaurantes de fast-food conseguem ter um alcance e um apelo muito maior — e são eles que acabam "informando" a população. A indústria alimentícia no Brasil influencia não só as informações divulgadas sobre nutrição como também a ciência. De forma sistemática, agentes corporativos distribuem massivamente qualquer dado favorável aos seus produtos, seja para o consumidor final, através de publicidade e notícias nos meios de comunicação, seja para quem tem poder de influenciar suas decisões (médicos, nutricionistas, jornalistas e até mesmo agentes públicos de saúde).

De acordo com um mapeamento das estratégias políticas da indústria alimentícia no Brasil, realizado em 2021 pela equipe da pesquisadora Melissa Mialon, alguns exemplos desse casamento nefasto entre indústria e influenciadores incluem:

- Coca-Cola e Nestlé patrocinam congressos médicos pediátricos no Brasil;
- o McDonald's, por meio do Instituto Ronald McDonald e em parceria com o Ministério da Saúde, organizou um fórum sobre políticas públicas para oncologia pediátrica;
- Mondelēz e Nestlé, entre outras empresas, participam e pautam debates em congressos brasileiros de nutrição e alimentação;
- a Nestlé tem dois programas de nutrição e atividade física, incluindo um que funciona há mais de vinte anos no país;
- a Unilever tem um programa de nutrição, em parceria com a Latinmed (uma empresa de marketing e comunicação) e o Instituto do Coração.

Os agentes da indústria alimentícia tentam sistematicamente atrasar e enfraquecer os esforços de saúde pública para promoção de dietas adequadas e saudáveis no Brasil. Um exemplo dessa ação coordenada busca pressionar a Agência Nacional de Vigilância Sanitária (Anvisa) para evitar a rotulagem frontal sobre presença de sódio, açúcar e gordura em excesso nos alimentos[47] — que, apesar de todo o lobby da indústria, passou a vigorar no país em outubro de 2022.[48] A indústria alimentícia também possui aliados dentro do governo e do Congresso, pressionando altos funcionários e até ameaçando profissionais de saúde pública com processos judiciais caso abram a boca para denunciar suas práticas predatórias (Mialon *et al.*, 2021).

A influência da indústria também é profunda no campo da pesquisa, e grande parte do financiamento às atividades científicas provém de empresas privadas — a maioria delas da indústria alimentícia ou farmacêutica. A professora emérita da Faculdade de Nutrição, Estudos Alimentares e Saúde Pública da Universidade de Nova York, Marion Nestle — primeira pessoa que me abriu os olhos para os interesses da indústria alimentícia, e a quem tive o prazer de conhecer em Roma durante uma conferência da FAO em 2019 — tem um livro inteiro sobre esse assunto, chamado *Uma verdade indigesta: como a indústria alimentícia manipula a ciência do que comemos* (Elefante, 2019).

É fato que houve, nos últimos anos, maior enfoque da grande mídia no tema da alimentação saudável, mas entre os programas informativos da TV e do rádio e entre as notícias de jornais, revistas e sites há propagandas e anúncios

---

[47] "Indústria abre guerra de narrativa para emplacar sua rotulagem sobre alimentos", *O Joio e O Trigo*, 29 nov. 2018.
[48] Medida que, segundo especialistas, poderia ser mais explícita. Ver: "Mudança no rótulo! O que saber sobre a nova rotulagem dos alimentos", *Veja Saúde*, 16 set. 2022.

promovendo os tais alimentos e os restaurantes que deveríamos evitar. Nesse âmbito também houve muita pressão corporativa (Giuberti & Albiero, 2022) para frear propostas que restrinjam a publicidade de alimentos não saudáveis para crianças ou o merchandising infantil — por exemplo, o uso de personagens atrelados a bebidas e biscoitos açucarados. Uma reivindicação até o momento barrada pela indústria alimentícia é o fim dos benefícios ficais às bebidas açucaradas, como vimos anteriormente. Fazer com que o setor pague mais impostos é uma política pública recomendada pela OMS,[49] e já ajudou a reduzir o consumo de refrigerantes em países como o México (Ng *et al.*, 2018). Medidas como essas podem diminuir os impactos do consumo dos ultraprocessados na saúde da população.[50] Mas, em geral, os agentes da indústria defendem a autorregulação — que é, na prática, o que impera na maior parte dos casos atualmente. Essas tentativas de influenciar as políticas públicas de saúde são conhecidas como atividade política corporativa (APC).

Assim, por mais que existam informações e conhecimentos acessíveis sobre os perigos representados pelo consumo de comida-porcaria e alimentos ultraprocessados, é difícil escapar deles. A força de vontade simplesmente não é o bastante — ainda mais quando até o pediatra está sendo influenciado a receitar ultraprocessados para a introdução alimentar do bebê.[51]

---

[49] "Campanha da Aliança e ACT Promoção da Saúde chama a atenção para tributação de bebidas açucaradas", Aliança pela Alimentação Adequada e Saudável, 15 jul. 2021.
[50] "Taxação de bebidas açucaradas e regulação da publicidade podem diminuir os impactos do consumo de alimentos ultraprocessados", *Agência Bori*, 31 ago. 2022.
[51] "O ano em que Nestlé e a Sociedade de Pediatria renovaram os votos de uma longeva parceria", *O Joio e O Trigo*, 8 dez. 2021.

II. Acesso geográfico

Você já deve ter reparado que os ultraprocessados, como salgadinhos, refrigerantes, balas e bolachas, são distribuídos e comercializados em muitos lugares: supermercados, lojas de conveniência, farmácias, botecos, postos de combustíveis, mercearias, terminais de ônibus, estações de trem e metrô, bancas de jornal e até livrarias. Por outro lado, frutas, verduras e legumes não estão disponíveis com a mesma facilidade.

Alimentos in natura são muito melhores para o nosso corpo, uma vez que não possuem quantidades exageradas de sódio, açúcar e gordura e não carregam aditivos químicos (conservantes, estabilizantes, corantes, edulcorantes, aromatizantes etc.), elementos que estão entre os principais causadores das doenças crônicas.[52] No entanto, é justamente essa característica que os torna mais perecíveis e, consequentemente, mais complicados (e mais caros) de se transportar e armazenar. Para dificultar ainda mais o acesso, mesmo nos estabelecimentos em que todo tipo de alimento é vendido, há uma guerra por espaço nas prateleiras, porque detalhes de onde e como algo é exposto influenciam as escolhas alimentares (Borges *et al.*, 2021). Adivinha quem tem mais dinheiro para expor melhor seus produtos? Uma dica: não é o pequeno agricultor local.

Não dá para divorciar comida saudável, planejamento urbano e acesso aos alimentos. Por mais que vivamos num país com grandes quantidades de terra fértil e produtiva durante o ano todo, capaz de nos trazer frutas e legumes sazonais e muitos outros produtos agrícolas, a realidade é que em nossa

---

[52] "Qual é a relação entre consumo de ultraprocessados e risco de mortalidade?", Ministério da Saúde, 7 jun. 2022.

sociedade está se constituindo uma espécie de apartheid alimentar — ou seja, para poucos privilegiados, há uma oferta abundante de alimentos saudáveis e, para a grande maioria, o que está por toda parte são opções ultraprocessadas, empacotadas, nada saudáveis. Embora soe dramático, o termo "apartheid" reflete a disparidade de padrões alimentares, levando em conta questões de raça, geografia, fé, economia e gênero.[53]

Uma das características desse apartheid são os chamados "desertos alimentares" — espaços onde o acesso a alimentos in natura ou minimamente processados é reduzido: nesses casos, as pessoas precisam andar muito ou até mesmo sair do bairro para encontrar víveres frescos. Outro problema, mais comum em áreas urbanas, são os "pântanos alimentares" — locais onde, além da dificuldade de acesso a alimentos saudáveis, há grande oferta de estabelecimentos que vendem, predominantemente, ultraprocessados (Swinburn *et al.*, 2019).

A desigualdade na distribuição de lugares para comprar alimentos frescos ou minimamente processados influencia o consumo alimentar e a saúde das pessoas. Para quem vive em desertos ou pântanos alimentares, especialmente se o poder aquisitivo for baixo e houver uma família para sustentar, acaba sendo mais acessível, prático e barato comer macarrão instantâneo com salsicha comprados na esquina do que uma salada fresca da feira livre. Por mais que seja essencial suprir as necessidades calóricas diárias, pensar apenas nelas é uma atitude reducionista. Os alimentos ultraprocessados são deficientes em nutrientes e ricos em sódio, açúcar, gordura

---

[53] Ver: "Food apartheid: the root of the problem with America's groceries", *The Guardian*, 15 maio 2018; e "Food desert or food apartheid?" [vídeo], 18 mar. 2021. Disponível em: https://www.youtube.com/watch?v=Kje-zWEpraU.

e aditivos, além de, como já dissemos, serem viciantes, levando mais facilmente a abusos e exageros. O resultado é que as pessoas acabam consumindo mais em termos de quantidade e infinitamente menos em termos de qualidade.

III. Acesso financeiro

A desigualdade social e de gênero é uma das principais causas da fome e da desnutrição no mundo contemporâneo, levando a piores condições de saúde. No Brasil, a fome está presente em 43% das famílias com renda per capita de até ¼ do salário mínimo, e atinge mais as famílias que têm mulheres como responsáveis ou aquelas em que a pessoa de referência (chefe) se autodefine como preta ou parda (Rede Penssan, 2022). A dieta da população brasileira ainda é composta predominantemente por alimentos in natura e minimamente processados e ingredientes culinários processados. No entanto, há uma tendência de aumento da participação de alimentos ultraprocessados na dieta (Levy, 2022a).

A industrialização, a financeirização e a mecanização na produção dos alimentos estão fazendo com que os ultraprocessados fiquem mais baratos do que as comidas frescas — sobretudo porque os custos ambientais e sociais não são colocados na balança (Hendriks *et al.*, 2021); caso contrário, como já pontuamos, a conta seria outra. Nessa realidade, quem não tem dinheiro para investir na alimentação da família acaba ficando mais exposto a uma dieta de baixo custo. Argumenta-se que a colocação profissional e a independência da mulher afetam a estrutura da alimentação e provocam uma organização de valores e hábitos que podem trazer consequências ao padrão alimentar familiar, como uma maior procura por refeições mais rápidas e substituição de almoço ou jantar por lanches.[54]

A indústria alimentícia tem ganhado cada vez mais espaço na casa dos brasileiros, mas não conseguiu substituir o valor nutricional e afetivo das refeições caseiras, e tem levado a um aumento exponencial de doenças crônicas não transmissíveis relacionadas à alimentação. Para garantir que todos possam se alimentar de forma saudável, precisamos de políticas públicas que, entre outras coisas, aumentem a renda familiar, garantindo que o capital retribua todo o trabalho gratuito que as mulheres vêm fazendo pela economia, produzindo e reproduzindo o item mais valioso do mercado: a força de trabalho (tema sobre o qual falarei mais detalhadamente no próximo capítulo). Não basta frear o avanço do consumo de ultraprocessados: precisamos de apoio, incentivos e instruções para que as pessoas de todas as classes sociais e gêneros possam preparar refeições a partir de alimentos frescos e saudáveis.

IV. Acesso à água potável

A água potável é um direito de todos, fundamental para a segurança alimentar e nutricional, e condição prévia para a realização de outros direitos humanos. Mas, como sabemos, muita gente no Brasil ainda não tem acesso pleno a esse recurso, sobretudo no Semiárido. A escassez de água no chamado "sertão nordestino" não se deve ao clima do lugar nem à incapacidade do seu povo. De acordo com a Articulação do Semiárido

---

[54] "A influência da questão de gênero na alimentação das mulheres, em seis pontos", *Nexo*, 23 jun. 2022.

Brasileiro (ASA), trata-se de uma questão política e social, provocada sobretudo pela concentração injusta desse recurso.[55]

A política pública do programa Um Milhão de Cisternas (P1MC), impulsionada pela ASA na região Nordeste e no norte de Minas Gerais, teve um efeito muito profundo na alimentação local. A convivência com a seca pressupõe a adoção da cultura do estoque: estoque de água para consumo humano, produção de alimentos e criação animal; estoque de alimento para a família e para os animais; e estoque de sementes para os próximos plantios, entre outros. Através do armazenamento da água da chuva em cisternas construídas com placas de cimento ao lado de cada casa, muitas famílias passaram a ter água potável a alguns passos de distância. Não se faz mais necessário o sacrifício de se deslocar quilômetros para fazer um café, cozinhar ou hidratar-se.

V. Acesso tecnológico

Cozinhar requer mais do que o conhecimento de receitas e ingredientes. Precisamos de materiais e ferramentas para preparar e processar os alimentos. Tábua, faca, colher de pau, panela e fogão são itens básicos na maior parte das cozinhas do mundo, com muitas variações determinadas pela cultura de cada local. No Brasil, há quem não abra mão de uma panela de ferro; outros preferem a leveza e a praticidade do alumínio. E assim passamos pelas preferências afetivas e regionais de utensílios de cozinha. Eu, por exemplo, acho que a moqueca realmente fica mais saborosa quando feita na panela de barro, fora todo o charme estético que a panela de barro oferece. Há

---

[55] "Ações — P1MC", Articulação do Semiárido Brasileiro, s.d. Disponível em: https://www.asabrasil.org.br/acoes/p1mc.

quem bata clara em neve na mão, há quem prefira a ajuda da batedeira; uns preferem aquele gostinho único do fogão à lenha e outros acabam tendo somente essa opção.

O fogo, aliás, é outro insumo indispensável e tão comum que nem lembramos de listar. Não se sabe ao certo quando os seres humanos começaram a preparar alimentos com a ajuda do fogo. Pesquisadores acreditam que foi há centenas de milhares de anos, muito antes da agricultura ou da domesticação de animais. O certo é que cozinhar o alimento traz muitos benefícios: coisas que antes não eram comestíveis passam a poder ser consumidas, mata-se bactérias e outros patógenos e o resultado costuma ser bem mais saboroso.

Para muitos de nós, cozinhar em fogões a gás tornou-se um lugar-comum. Contudo, estima-se que entre 2,4 bilhões de pessoas ao redor do mundo não tenham acesso a esse combustível e cozinhem debruçadas sobre fogueiras abertas ou em fogões caseiros.[56] Ou seja, aproximadamente 40% da população mundial usa lenha, carvão vegetal e mineral, esterco animal ou resíduos vegetais para manter o fogo onde prepara suas refeições. No Brasil, cerca de onze milhões de residências cozinham com lenha (Gioda, 2019). Essa combinação de tecnologia rudimentar com combustíveis potencialmente perigosos e altamente poluentes é responsável por muitas mortes prematuras — afetando sobretudo mulheres e crianças.

Em nosso país, como sabemos, temos fogões produzidos industrialmente, seguindo padrões de segurança, e gás de cozinha, um combustível mais seguro e menos poluente; mas o acesso está longe de ser igualitário. Em 2022, o preço

---

[56] "WHO publishes new global data on the use of clean and polluting fuels for cooking by fuel type", Organização Mundial da Saúde, 20 jan. 2022.

do gás de cozinha bateu o recorde de 160 reais por botijão,[57] afetando o modo de cozinhar de muitas famílias, que passaram a guardar os botijões para emergências. Algumas delas venderam seus fogões por conta da crise. Muitas passaram a usar lenha ou carvão vegetal para preparar refeições.[58] Rodrigo Leão, pesquisador do Instituto de Estudos Estratégicos de Petróleo, Gás Natural e Biocombustíveis (Ineep), afirma que "o avanço da lenha no Brasil representa um retrocesso de duzentos anos".[59]

VI. Acesso ao tempo

Como já foi dito antes, o tempo — ou melhor, a falta dele — é um dos principais fatores que levam a escolhas menos saudáveis (Pinto & Costa, 2021). No contexto atual, é extremamente difícil preparar uma refeição do zero todos os dias, porque esse processo é demorado. Tempo é um bem do qual muitas famílias simplesmente já não dispõem na sociedade capitalista contemporânea. Pessoas que trabalham em jornadas duplas, inclusive preparando refeições para outra família como parte de seu trabalho produtivo, podem acabar comprando mais ultraprocessados para a própria família por uma questão de sobrevivência. Por outro lado, as mulheres que optam por se dedicar ao trabalho produtivo e que podem pagar pelo tempo de uma cozinheira ou empregada doméstica

---

[57] "Botijão de gás de 13 kg já é vendido no Brasil por R$ 160", *Correio Braziliense*, 19 mar. 2022.
[58] "'Ou eu penso no gás ou no alimento': com alta do gás, famílias pobres cozinham em fogo a lenha", *G1*, 25 mar. 2022.
[59] "Lenha já é mais usada que o gás nas cozinhas brasileiras", *CNN Brasil*, 10 out. 2021.

para fazer a sua comida são capazes de trocar a conveniência de uma refeição fabricada pela indústria alimentícia por um prato caseiro preparado por outra pessoa.

Quando falamos de fast-food e produtos ultraprocessados, estamos falando de alimentos muito convenientes. A comida ultraprocessada é rápida, barata e supersaborosa.[60] Essa praticidade advém do fato de que a indústria — que na maior parte das vezes remunera mal seus empregados (Lo & Jacobson, 2011) e destrói a natureza (Silva *et al.*, 2021) — está fazendo o trabalho para você a partir de insumos baratos e nutricionalmente vazios. Contudo, quando se trata de comida de panela, é muito mais complicado. Como mencionei anteriormente, a responsabilidade de comprar os ingredientes, pensar em uma receita, cozinhar, comer e limpar é muito maior, enquanto com comida-porcaria você pode comprar alimentos prontos ou parcialmente preparados, pulando completamente as fases de cozimento e limpeza. No entanto, estamos pagando o preço com nossa saúde e a preservação do meio ambiente (Garzillo *et al.*, 2022).

Se cozinhar é uma ferramenta que pode proteger contra muitos fatores de risco para doenças crônicas não transmissíveis — e para a redução dos impactos ambientais —, nossa sociedade precisa começar a valorizar o ato de cozinhar. Todas as pessoas querem comer bem. Mas será que querem ou são capazes de cozinhar? Se não podem ou não querem, então quem vai fazer essa comida? E como?

---

[60] "Alimentos ultraprocessados — por que precisamos falar sobre isso?", Umane, 8 jul. 2021.

Cada vez mais longe do que nos faz bem

Até pouco tempo atrás, desfrutar de refeições preparadas na hora, na companhia de outras pessoas, era uma prática universal, comum a todas as civilizações (Dunbar, 2017). As cozinhas tradicionais evoluíram como expressões de autonomia e identidade, trazendo a incrível diversidade de sabores, receitas e modos de comer que vemos hoje, e não apenas fazem bem ao corpo, pois priorizam alimentos locais e frescos, como também tendem a se adaptar a climas e solos específicos. Assim, a forma como nossos antepassados comiam servia de base para o comércio local, para as economias rurais e a diversidade biológica, se relacionando com todos os setores da sociedade. Lamentavelmente, nos últimos cem anos, todos esses benefícios foram abalados — e podem, a longo prazo, acabar destruídos pelos produtos ultraprocessados disseminados pelo sistema alimentar industrial global.[61]

Para combater esse quadro, as corporações da indústria alimentícia propagam o discurso da autonomia e das "escolhas conscientes", apostando na ideia capitalista de que o mercado responderá às pressões dos consumidores. No entanto, como já vimos, a escolha do que comer — e, sobretudo, de quem vai fazer a comida — está longe de estar disponível para todos. Hoje, o status socioeconômico dita, cada vez mais, o que, como, quanto e com quem se vai comer. Embora não necessariamente faça escolhas saudáveis à mesa, uma pessoa altamente educada, empregada, bem

---

[61] "Alimento saudável ainda predomina no Brasil, mas ultraprocessado avança", *Folha de S. Paulo*, 4 set. 2022.

informada e com um bom salário tem uma gama muito mais ampla de opções alimentares do que alguém desempregado ou de baixa renda e com baixa escolaridade. Ao afirmar ou insinuar que as pessoas são livres para escolher alimentos saudáveis e ter uma dieta saudável, pesquisadores, organizações e corporações ignoram a desigualdade socioeconômica, enfatizando injustamente a responsabilidade individual.

Quando se trata de alimentação, é sabido que as preferências alimentares pessoais, decisões de compra e comportamentos alimentares são moldados por preço, marketing, disponibilidade e acessibilidade, entre outros fatores. Daí a necessidade de políticas públicas que melhor regulem a atividade das corporações e do mercado, bem como políticas que prestem maior assistência à população. Uma forma de diminuir as desigualdades sociais e de gênero, dando às pessoas mais oportunidades de escolher como alimentar suas famílias, é reconhecer, reduzir, redistribuir e remunerar o trabalho doméstico feito gratuita e majoritariamente por mulheres no Brasil e no mundo. Ao lado disso teremos que implementar e fortalecer políticas e medidas que proporcionem educação nutricional, promovam os alimentos frescos e limitem o acesso a ultraprocessados. Essas são medidas fundamentais para a manutenção da saúde da população.

CAPÍTULO 2

A base invisível da economia

~~~

A origem da palavra economia não parece ter muito a ver com o significado que damos a ela hoje. Quando a maioria de nós escuta (ou lê) essa palavra, imediatamente pensa em coisas como produto interno bruto (PIB), taxa de juros, bolsa de valores, inflação etc. Outras associações prováveis são: oferta e demanda, mercado, preços, dinheiro, poupança, investimentos. Sobretudo para quem se identifica com pautas de esquerda, é possível que o termo traga à mente conceitos como capitalismo, distribuição de renda, luta de classes, mais-valia. Poderíamos dizer que, de forma geral, economia é algo que acontece predominantemente fora de casa, na esfera do trabalho, dos mercados, dos governos e da sociedade.

Contudo, o termo, que vem do grego *oikonomia*, é formado pela combinação de *oikos* (casa ou morada) e do verbo *nemein* (administrar ou distribuir). Ou seja, pelo menos originalmente, a palavra se referia ao ato de gerenciar o lar e garantir a subsistência de todos dentro dele. Embora seu significado tenha se ampliado muito desde a Grécia Antiga, a *oikonomia* tem algo em comum com a economia contemporânea: tanto naquela época quanto agora, grande parte do trabalho envolvido nesse tal gerenciamento do lar recai sobre as mulheres e outras pessoas consideradas inferiores — outrora, as escravizadas; hoje, as pobres, geralmente pretas ou pardas, ou migrantes. Eram e são essas pessoas que exercem a função básica — garantir a sobrevivência dos corpos — sem a qual não haveria atividade remunerada, mercados, especialização de trabalho ou vida política e social.

Um ponto de encontro entre Adam Smith e Karl Marx

Antes de falar sobre o pai do liberalismo e sobre o ideólogo do comunismo, quero que você responda com franqueza: já ouviu falar em Margaret Douglas ou Jenny von Westphalen?

Margaret nasceu em Fife, no leste da Escócia, na virada do século XVII para o XVIII. Casou-se em 1720 com um renomado advogado de uma família abastada. Poucos meses antes do nascimento de seu primeiro filho, em 1723, ficou viúva. Quando o menino nasceu, batizou-o com o nome do pai. Embora nunca tenha se casado novamente, conseguiu proporcionar ao menino a melhor educação disponível na Escócia. Aos catorze anos, ele entrou na Universidade de Glasgow para estudar filosofia e, em 1740, começou a pós-graduação em Oxford. Como o filho nunca se casou nem teve filhos, Margaret cuidou dele até morrer, com mais de oitenta anos, e pôde vê-lo tornar-se um respeitado intelectual do movimento iluminista escocês, além de autor de um estrondoso best-seller: *Uma investigação sobre a natureza e as causas da riqueza das nações*. Seu filho, Adam Smith, filósofo e economista, é considerado o fundador da economia moderna e sua obra tem relevância até hoje.

Jenny von Westphalen nasceu no início do século XIX no Reino da Prússia (hoje Alemanha), em uma família respeitada, de baixa nobreza. Conheceu o futuro marido ainda criança, pois os pais eram amigos. Jenny teve uma infância confortável e recebeu uma educação primorosa; discutia filosofia e literatura com o jovem pretendente, que a conquistou, apesar de não ter nenhum título social. Contrariando expectativas, os dois se tornaram noivos. Ela tinha 22 anos e ele, dezoito. Casaram-se depois que ele concluiu seus estudos, em 1843. O marido de Jenny era um pensador brilhante e trabalhava como jornalista. Por conta de seus textos críticos ao governo prussiano, publicados em jornais radicais, sofreu muita perseguição. No mesmo ano em que se casaram, Jenny fugiu com ele para Paris, já grávida da primeira criança. Tiveram de se exilar mais duas vezes, e acabaram fincando pé em Londres. Jenny teve sete filhos em três cidades diferentes, mas apenas três filhas chegaram à idade adulta. Elas passaram aperto, mas sempre apoiaram o homem da casa, cuidando de suas necessidades domésticas e de sua agenda político-revolucionária. Este homem — como você já deve ter adivinhado — se chamava Karl Marx.

Conheci a história da mãe de Adam Smith no livro *O lado invisível da economia*, da jornalista sueca Katrine Marçal. Em 1776, segundo a autora, Adam Smith escreveu as palavras que moldaram nossa compreensão moderna da economia capitalista: "Não é da benevolência do açougueiro, do cervejeiro ou do padeiro que esperamos nosso jantar, mas da consideração que eles têm pelos próprios interesses". No entanto, como nos lembra Marçal — e isso nos leva, inclusive, ao título do livro que você tem em mãos agora —, Smith esqueceu de incluir em seu cálculo sobre o homem econômico um detalhe básico: quem realmente cozinhava o bife? Quem saía na rua para comprar o pão, a cerveja e todos os outros alimentos? E lavava a louça e o chão, comprava (ou fazia) o sabão, tirava o lixo e limpava os penicos?

Quem fazia tudo isso por Smith era Margaret, sua mãe. Mas não é apenas de Smith que estamos falando, e sim de todos os homens da cadeia econômica citados no trecho acima. Marçal (2017, p. 25) continua:

> Para que o açougueiro, o padeiro e o cervejeiro pudessem ir trabalhar, na época em que Adam Smith estava escrevendo, suas esposas, mães ou irmãs tinham de passar horas e horas, dia após dia, cuidando das crianças, limpando a casa, cozinhando, lavando roupa, enxugando lágrimas e brigando com os vizinhos. Não importa como encaramos o mercado, ele sempre é construído sobre outra economia. Uma economia que raramente debatemos.

A autora aponta que um dos erros mais graves e persistentes das teorias econômicas é ter tirado da equação o trabalho doméstico e reprodutivo tradicionalmente exercido pelas mulheres, tornando-o invisível do ponto de vista da "produtividade econômica".

Embora Marx não tenha ignorado por completo as mulheres e o trabalho (re)produtivo realizado por elas, o tema teve pouquíssimo espaço em suas obras. E, ao menos dentro de sua casa, o papel das mulheres — esposa, filhas, funcionárias domésticas — parecia ser, antes e acima de tudo, garantir que as necessidades físicas (e políticas) do patriarca fossem atendidas, sem grandes ganhos para elas.

Portanto, podemos dizer que um ponto de encontro entre as trajetórias de Adam Smith e Karl Marx são mulheres — mãe, esposa, filhas, empregadas — assumindo todos os cuidados domésticos e reprodutivos para que eles pudessem ficar absolutamente livres e desimpedidos para se dedicar aos estudos, à escrita, à política e à construção de suas reputações e legados para muito além da esfera doméstica — um domínio que, por sua vez, foi total ou parcialmente ignorado em suas teorias econômicas.

O trabalho reprodutivo
e a economia do cuidado

Quando digo, ao lado de muitas outras mulheres, que o trabalho reprodutivo ou de cuidado é a base da economia, é porque sem esse trabalho não seria possível exercer nenhum outro. Trata-se, simplesmente, de tudo o que é feito para suprir as necessidades humanas universais, sem as quais a nossa sociedade e a economia mundial não podem funcionar. Alimentar a família e cuidar de filhos ou pais idosos pode não parecer uma atividade econômica — nossa sociedade costuma encará-las como expressões de amor —, mas a forma como organizamos o trabalho de cuidado tem um gigantesco impacto na economia. Todo mundo em algum momento precisa de cuidados, e a maioria das pessoas terá que prestar cuidados em algum momento da vida. E a maior parte desse imenso trabalho tem sido feita gratuitamente.

As crianças não se tornarão adultos saudáveis e felizes (e economicamente produtivos) se não forem cuidadas desde o momento em que chegam ao mundo. Os doentes não vão melhorar e se recuperar se não forem cuidados por outros. Sem cuidado, as pessoas com deficiência e os idosos não poderão viver uma vida digna. E todo mundo precisa comer algumas vezes ao dia e ter a casa e as roupas limpas. No entanto, apesar dessa importância fundamental, o trabalho de cuidado continua sendo pouco estudado e subvalorizado como parte da economia. Para citar Marçal (2017, p. 25), novamente:

> A garota de onze anos que anda quinze quilômetros todas as manhãs para pegar lenha para a família tem um papel importante na capacidade de desenvolvimento econômico de seu país. Mas esse trabalho não é reconhecido. A garota é invisível

nas estatísticas econômicas. No cálculo do PIB, que mede a atividade econômica total de um país, ela não é contada. O que ela faz não é considerado importante para a economia.

A economia do cuidado refere-se ao trabalho não remunerado exercido na esfera doméstica para membros de uma família ou comunidade que, pelo menos em tese, poderia ser terceirizado. Estamos falando, portanto, de tarefas que envolvem a manutenção do lar e das pessoas que vivem nele, incluindo escolha, aquisição e preparo de alimentos, limpeza e arrumação da casa, lavagem da louça e das roupas, organização e gestão doméstica, cuidados com crianças, idosos e pessoas doentes ou com necessidades especiais etc.

Em contextos urbanos e industrializados, incluem-se nesses cuidados a compra de alimentos, roupas e outros itens necessários para a manutenção do lar e de seus moradores. Em contextos não industrializados ou rurais, as tarefas envolvem também a coleta de água e de gravetos (ou outros materiais) para alimentar o fogo que cozinhará os alimentos, além do preparo e do cultivo da terra para a agricultura de subsistência e da criação de animais. O trabalho comunitário voluntário, por fortalecer laços sociais importantes para a família, entra no guarda-chuva dos cuidados domésticos não remunerados.

Em todo o mundo, as mulheres gastam de duas a dez vezes mais tempo em trabalhos de cuidado não remunerados do que os homens, o que tem um grande efeito na desigualdade de gênero na economia. Em países onde as mulheres fazem mais trabalho de cuidado não remunerado, elas têm muito menos probabilidade de ganhar dinheiro e, se estiverem trabalhando fora de casa, têm maior probabilidade de exercerem esse trabalho em condições precárias e em tempo parcial. Quanto maior a carga de trabalho não remunerado realizado por mulheres, menor a equidade salarial entre homens e mulheres — isto é, maior a diferença entre o que os homens e as mulheres recebem, em média.

A maioria dos países tem economias de cuidado administradas pelo mercado e pelo governo, com trabalhadores domésticos pagos, empresas privadas fornecedoras de serviços de cuidados e também instituições públicas. Pense em um casal com um bebê no Brasil, por exemplo. A opção para receber ajuda não remunerada seria apelar a avós, tias, irmãs, amigas — sim, no feminino, porque esse trabalho é feito principalmente por mulheres. Se a escolha — ou a única alternativa — é recorrer ao trabalho remunerado de terceiros, pode-se contratar uma babá para ficar com a criança (trabalhadora doméstica remunerada), colocá-la numa escolinha de educação infantil (empresa privada) ou, com sorte, conseguir uma vaga numa creche municipal (instituição pública).

Os empregos da economia do cuidado, no entanto, tendem a possuir baixo status social, ser mal pagos e inseguros. Os requisitos educacionais para se tornar um cuidador não costumam ser altos, há uma carência de cursos de formação e muitos trabalhadores tratam esse tipo de trabalho como temporário. Por causa disso, os economistas tendem a descrever o trabalho remunerado de cuidado como pouco qualificado, o que não reflete a realidade da função — afinal, todo mundo que já passou tempo cuidando de outras pessoas sabe que é um trabalho desafiador que exige um conjunto considerável de habilidades interpessoais.

A remuneração nula ou baixa e o fato de que todas essas funções de cuidado foram naturalizadas como "trabalho de mulher" — embora possam perfeitamente ser executadas por qualquer gênero — não são nenhuma coincidência. Na assistência à saúde, principalmente a partir do século XIX, observou-se a medicalização e a profissionalização do campo, com os trabalhos de cuidados diários relegados a enfermeiras e técnicas de enfermagem — majoritariamente mulheres —, enquanto os profissionais médicos — majoritariamente homens — se tornavam autoridade máxima, mais bem pagos e com práticas de cuidado não rotineiras (Mott, 2022; Ehrenreich & English, 2010). Na educação, a feminização da docência nos anos iniciais do ensino básico começa a ocorrer ao longo do século XIX, e no século XX é acompanhada da estratificação da carreira e do rebaixamento salarial (Vianna, 2002). Quanto ao trabalho doméstico, quando falamos em países escravistas, como o Brasil, depois da abolição, mulheres negras e imigrantes passam a compor a esmagadora maioria das trabalhadoras nas casas de famílias (Telles, 2013).

Traçando um paralelo entre a economia e os escritos de Simone de Beauvoir, Marçal (2017, p. 21) afirma: "Assim como existe um 'segundo sexo', existe uma 'segunda economia'. O trabalho tradicionalmente executado por homens é o que conta. Ele define a visão de mundo econômica. O trabalho da mulher é 'o outro'. É tudo o que ele não faz, mas de que depende para poder fazer o que faz". O não reconhecimento dessa contribuição — refletida tanto na invisibilidade a que foi relegada nas teorias econômicas tradicionais quanto na baixa ou inexistente remuneração — resulta em uma transferência sistêmica de subsídios ocultos para o resto da economia. Ou seja, o trabalho de cuidados domésticos, infantis e comunitários não entra na conta, embora seja essencial para a execução de funções ditas "produtivas" — isto é, todo trabalho remunerado, executado, em geral, na esfera pública.

Alguns economistas argumentam que seria impossível computar tais atividades, mas isso parece ser mais um reflexo da falta de vontade de fazê-lo do que um verdadeiro empecilho.[62] Afinal, se tempo é dinheiro, basta medir quanto tempo as pessoas (em geral, mulheres) despendem nessas funções. E é exatamente dessa forma que quem estuda o assunto calcula o trabalho reprodutivo. Para ter uma ideia do tamanho dessa economia invisível, de acordo com o relatório "Tempo de cuidar", da Oxfam, publicado em janeiro de 2020, mulheres e meninas ao redor do mundo dedicam, diariamente, 12,5 bilhões de horas ao trabalho de cuidado não remunerado, o que representa uma contribuição anual avaliada em pelo menos 10,8 trilhões de dólares, três vezes mais do que a indústria da tecnologia.

O quadro revela como a distribuição desigual afeta diretamente a vida das mulheres. Quando adicionamos à análise fatores como raça e classe, a distribuição do trabalho de cuidado, remunerado ou não, torna-se ainda mais desigual. Para a construção e manutenção das estruturas daquilo que bell hooks define como patriarcado supremacista branco capitalista imperialista, o gênero feminino, os corpos racializados e a classe pobre tiveram os seus direitos roubados e sua existência, explorada. Os trabalhos de menor prestígio na sociedade, os mais precarizados e com piores salários, continuam sendo relegados a essas pessoas, no Brasil e no mundo. Frequentemente são mulheres pobres, negras ou migrantes, que cuidam daqueles que têm poder e meios para serem cuidados sem ter a necessidade de cuidar. O cuidado sustenta

---

62 Projetos como o Counting Women's Unremunerated Work [Contabilizando o trabalho não remunerado das mulheres] surgiram nos anos 1980 sugerindo que o trabalho emocional e doméstico das mulheres é um trabalho produtivo — uma contribuição não reconhecida ao PIB. Na Inglaterra, por exemplo, um projeto de lei chegou a ser apresentado na Câmara dos Comuns para que esse trabalho invisibilizado passasse a ser considerado na economia nacional.

DEZ FATOS SOBRE O TRABALHO DOMÉSTICO NÃO REMUNERADO

~ 1 ~
Mulheres dedicam de três a cinco horas por dia ao trabalho de cuidado não remunerado, enquanto homens dedicam de trinta minutos a duas horas diárias.

~ 2 ~
No que se refere ao trabalho de cuidado não remunerado, a desigualdade de gênero é observada no mundo todo, embora haja variações regionais.

~ 3 ~
Ao todo, as mulheres passam duas a dez vezes mais tempo nas tarefas domésticas e de cuidado do que os homens.

~ 4 ~
Estima-se que, se o trabalho não remunerado exercido por mulheres recebesse um valor monetário, o total representaria entre 10% e 39% do PIB.

~ 5 ~

Reduzir o tempo que as mulheres gastam em trabalhos domésticos poderia aumentar a produtividade agrícola em 15% e a produtividade de capital em até 44% em alguns países.

~ 6 ~

Quanto mais rico o país, menor a desigualdade de gênero no que se refere aos trabalhos reprodutivos não remunerados.

~ 7 ~

Em países onde as mulheres passam em média cinco horas em atividades domésticas e de cuidados não remunerados, 50% das mulheres em idade produtiva estão empregadas ou buscando emprego. O percentual aumenta para 60% em países em que as mulheres dedicam três horas aos cuidados não remunerados.

~ 8 ~

Quanto maior a desigualdade entre homens e mulheres no que se refere à distribuição das responsabilidades de cuidado, maior a disparidade de gênero no trabalho remunerado.

~ 9 ~

Países com proporção maior de trabalhos de cuidado exercidos por mulheres têm proporção maior de mulheres em empregos precários e de meio período.

~ 10 ~

Em países com instituições machistas (ou seja, onde homens detêm muito mais poder e direitos), o papel da mulher é restrito a funções reprodutivas e domésticas e elas passam muito mais tempo fazendo trabalhos não remunerados em comparação aos homens.

Fonte: Organização para Cooperação e Desenvolvimento Econômico (OCDE) e Instituto de Pesquisa das Nações Unidas para o Desenvolvimento Social.

o sucesso das atividades excessivamente remuneradas e competitivas com muito suor, planejamento, estresse e esforço.

A pesquisadora Helena Hirata (2014), filósofa e especialista em sociologia do trabalho e gênero, já apontou que as cuidadoras são em sua maioria as mulheres mais pobres, as menos qualificadas, de classes subalternas e migrantes. Num estudo comparativo internacional, concluiu-se que as mulheres somam 90% das cuidadoras na França e 95% no Brasil; no Japão, uma minoria significativa — mais de 35% — é composta de homens. Quanto à dimensão étnico-racial, na França a maior parte das cuidadoras é migrante, sobretudo da África. No caso do Brasil, metade da população das cuidadoras entrevistadas que trabalham em São Paulo nasceu fora do estado. Ou seja, o que unifica a população de cuidadores dos três países são: no Brasil, o trabalho informal; na França, a imigração; no Japão, o desemprego e a crise levam os homens a exercer essa profissão. O ponto unificador desses trabalhadores e trabalhadoras do cuidado é a precarização do seu itinerário profissional. Em cada um dos três países, são os mais vulneráveis que se tornam os provedores do cuidado.

O duplo fardo sobre o ombro das mulheres tem grandes impactos, tanto no bolso quanto na saúde. Mais tempo limpando, cozinhando, criando os filhos, administrando um lar e cuidando de idosos significa menos tempo estudando ou treinando habilidades valorizadas no mercado de trabalho, menos acesso a empregos (bem) remunerados e menos tempo participando na vida pública de maneira geral. Em comparação a seus pares masculinos, as mulheres têm menos oportunidades e direitos quando se trata de condições sociais, econômicas e trabalhistas, incluindo salários, assistência social e segurança do trabalho. O mesmo se torna realidade quando falamos de mulheres não brancas, pois as mulheres negras ganham menos, têm menos oportunidades de contar com carteira assinada e são a maioria da força de trabalho no trabalho doméstico (Pinheiro & Madsen, 2011).

A forma desigual como a divisão social do trabalho foi construída na nossa sociedade resulta em mulheres — sobretudo mulheres negras — mais vulneráveis: trabalham mais horas, acumulam tarefas relacionadas a creche, trabalho doméstico e cuidado com o marido, têm oportunidades piores que os homens e as mulheres brancas, ganham menos, ficam presas em empregos (e relacionamentos) piores, têm menos recursos financeiros e emocionais para buscar outras oportunidades e por aí vai. Essa confluência gera uma espécie de círculo vicioso que coloca — e mantém — as mulheres numa posição subalterna e de dependência. Com tantas demandas e tão pouca valorização, fica difícil tomar outro caminho que não seja apenas abaixar a cabeça e seguir carregando o fardo.

Nesse momento, alguns leitores e leitoras talvez estejam pensando nas diferenças "biológicas" ou de características sexuais que seriam uma "justificativa" para esse cenário de desigualdade de gênero nos trabalhos domésticos. Há quem acredite que nós, mulheres, temos mais "facilidade" com isso, que somos mais "jeitosas", que cuidar é mais "instintivo" para nós e que, portanto, essa discrepância faz sentido.[63] Mas, da mesma forma como já provamos que podemos ser excelentes executivas, cientistas e engenheiras (entre outras profissões

---

[63] O "instinto" materno já foi colocado em xeque por várias áreas do conhecimento. Pelo ponto de vista histórico, por exemplo, Elisabeth Badinter (2004) analisou a construção do mito do amor materno a partir de fins do século XVIII na Europa. A autora pontua as diferentes formas de maternidade existentes antes desse processo, que incluíam a criação dos filhos longe da casa dos pais, a amamentação mercenária (paga, realizada por outra mulher que não a mãe) e práti-

supostamente masculinas), está mais do que na hora de reconhecer que homens podem ser excelentes cuidadores, faxineiros, administradores domésticos e lavadores de roupas. Por exemplo, dar à luz é uma atribuição exclusiva das mulheres (ou de pessoas que nasceram com útero, mas que não se identificam com o gênero feminino), mas isso não é desculpa para atribuir a elas o peso das responsabilidades de criação dos filhos, uma vez que não há nada na natureza dos homens que os impeça de zelar pela prole. A criação deve ser uma responsabilidade compartilhada. No entanto, sabemos que quem cuida das crianças brasileiras, na esmagadora maioria das vezes, são as mulheres. E infelizmente, ainda escutamos, sem ironia, que "quem pariu Mateus que o embale".

A naturalização do trabalho reprodutivo como uma função feminina precisa ser combatida. Dados do mundo todo comprovam que o fardo desproporcional com o trabalho doméstico não remunerado afasta as mulheres de conquistas na esfera pública, representando uma barreira estrutural significativa para nossa autonomia. Através de uma cultura de invisibilidade e desvalorização do trabalho reprodutivo, há uma transferência sistêmica de subsídios ocultos para o resto da economia, beneficiando os homens. O trabalho doméstico é o fio invisível que conecta o mundo privado das famílias com as esferas públicas dos mercados e do Estado — e isso acontece de forma exploratória, amarrando as mulheres (sobretudo as mais pobres e racializadas) a condições econômicas ainda menos favorecidas.

Mas, como mudar esse cenário?

---

cas que hoje seriam consideradas cruéis nos tratos com as crianças. Assim, aponta que ter e criar os filhos não é nada "instintivo", e sim uma atividade que se transforma no tempo e no espaço e que depende de contextos sociais específicos.

Reconhecer, reduzir, redistribuir — e remunerar

Em 2016, Melinda Gates, em comunicação anual da Fundação Gates (que ela tocava com o então marido Bill, dono da Microsoft), prometeu lutar para reduzir o fardo que acomete as mulheres, sobretudo as mais pobres. Em poucas linhas, ela resumiu as estratégias para isso: "Reconhecer que trabalho não remunerado é trabalho. Reduzir a quantidade de tempo e energia que ele demanda. E redistribuir esse trabalho de forma mais igualitária entre mulheres e homens". Ao citar esses três R, ela se baseou nas pesquisas da economista e socióloga Diane Elson (2017), professora da Universidade de Essex, no Reino Unido, que defende o modelo para aliviar a carga dos trabalhos domésticos não remunerados que recai sobre as mulheres e, assim, diminuir a disparidade salarial e econômica entre os gêneros.

Confira abaixo um breve resumo das estratégias, conforme explicadas pelo "Quick Guide to What and How: Unpaid Care Work" [Guia rápido sobre trabalho de cuidado não remunerado], criado pela Agência Sueca de Cooperação para o Desenvolvimento Internacional.[64]

Reconhecer

Isso envolve, em primeiro lugar, visibilizar o trabalho de cuidados perante a sociedade — o que significa não apenas

---

[64] Disponível em: https://www.oecd.org/dac/gender-development/47565971.pdf.

informar mas também mensurar esse trabalho e buscar entendê-lo melhor, a fim de informar políticas públicas, instituições privadas e filantrópicas e o público em geral — que pode começar a pressionar governos, empresas e pessoas a mudar. De certa forma, este livro é parte dessa estratégia de reconhecimento. Outras ações incluem:

- advogar para a inclusão de dados sobre o trabalho doméstico não remunerado em pesquisas econômicas e populacionais;
- pressionar para que esses dados sejam acompanhados, a fim de mensurar avanços e retrocessos;
- apoiar esforços para calcular ou estimar o valor monetário desse trabalho relativo ao PIB;
- levantar a pauta do trabalho doméstico não remunerado em grupos de ativismo político, nas empresas, na mídia e em qualquer contexto cabível.

Reduzir

A segunda estratégia é reduzir o tempo despendido em tarefas domésticas e de cuidados. Isso pode ser feito basicamente de duas formas: investindo em infraestrutura e tecnologia que poupa tempo dessas tarefas; e aumentando a oferta de serviços públicos que atendam essas demandas. Entre outras ações, incluem-se:

- aumentar o acesso a saneamento básico e a fontes seguras (e preferencialmente limpas) de energia e água potável;
- facilitar, via redução de impostos ou outros incentivos, o acesso a eletrodomésticos, que poupam tempo gasto em tarefas domésticas;

- aumentar a oferta de creches e casas de repouso;
- ampliar o tempo que as crianças ficam nas escolas, através do aumento oficial da jornada escolar ou da criação de programas extracurriculares.

Redistribuir

Para o progresso em direção à igualdade de gênero, é necessário abordar o fato de que não é "normal" nem "natural" que as mulheres estejam realizando a maior parte do trabalho não remunerado. Uma das formas de reduzir o ônus dos trabalhos de cuidado sobre as mulheres é redistribuindo-o entre os homens, diminuindo não apenas o tempo gasto nessa função como a disparidade entre os gêneros. Em outras palavras, é preciso promover uma mudança cultural para que esse trabalho não seja visto como "feminino". A redistribuição também contempla repensar os limites das esferas privada e pública, compartilhando a responsabilidade dos cuidados com a sociedade como um todo — inclusive com a iniciativa privada. Nessa linha, as seguintes ações podem ser contempladas:

- garantir e ampliar o direito à licença maternidade, pois, em países com licenças maiores, as mulheres tendem a permanecer empregadas;
- ampliar a licença paternidade e a licença parental, para que homens passem a assumir mais os cuidados com os filhos e naturalizar a divisão da responsabilidade parental;
- combater o machismo estrutural, que enxerga as tarefas de cuidado como "femininas", por meio de campanhas de conscientização que promovam uma compreensão mais atual da masculinidade;

- oferecer incentivos fiscais para instituições que combatam a disparidade de gênero, como equiparação salarial e licença parental igualitária, entre outras ações.

~~~

Apesar de representarem um grande avanço diante da realidade que vivemos hoje no Brasil e em outros países, as propostas de Melinda Gates e Diane Elson param por aí: reconhecer, reduzir e redistribuir. Na mesma mensagem anual da Fundação Gates, Melinda escreve: "Reduzir o trabalho não remunerado das mulheres de cinco para três horas por dia pode aumentar a taxa de participação feminina na força de trabalho de um país em 10%. Se as mulheres participassem da economia nos mesmos níveis que os homens, o PIB global poderia aumentar em 12%".

No entanto, estimular as mulheres a sair de casa para ocupar cargos em trabalhos socialmente reconhecidos como produtivos e contribuir com o crescimento da economia mundial não transforma a questão de fundo. As mulheres já produzem, por meio do trabalho doméstico, um valor estimado em 13% do PIB mundial. Portanto, existe uma quarta estratégia, não considerada por Melinda e Diane: remunerar as mulheres por essas funções.

A desvalorização do trabalho doméstico em termos econômicos deve-se, em parte, a uma definição limitada de atividade econômica, que considera o valor econômico sinônimo de valor de mercado. Sendo assim, por exemplo, o trabalho doméstico é considerado uma contribuição para a produção quando realizado em outras famílias em troca de remuneração, mas não no próprio domicílio. Consequentemente, cerca de 66% do tempo de trabalho das mulheres, contra 24% dos homens, não recebe reconhecimento econômico no Sistema de Contas Nacionais (SCN), medido pelo IBGE. Isso não é apenas injusto como também não faz sentido. Trabalho é trabalho. E remunerar quem realiza o trabalho de cuidado (hoje não remunerado) é a maneira mais eficaz de alcançar a igualdade de gênero, classe e raça, aumentando o acesso a alimentos saudáveis e levando a uma sociedade mais saudável e equânime.

Muitos leitores e leitoras devem achar essa reivindicação pela remuneração do trabalho doméstico uma proposta muito radical. Mas não podemos nos esquecer de que vivemos numa sociedade capitalista em que a mulher produz e mantém o maior bem da economia, que é a força de trabalho — ou seja, as próprias pessoas. É a mulher que dá à luz e, na maior parte do tempo, cuida da criança até se tornar um adulto que ingressará no mercado de trabalho; é ela que alimenta os adultos "produtivos" e assume as tarefas essenciais de fortalecer os laços comunitários, sem os quais não haveria a confiança necessária para realizar atividades de troca. Sem o trabalho invisível das mulheres, não haveria *oikos*.

A economia do cuidado gera dez trilhões de dólares por ano para o mundo. Em nosso sistema capitalista, podemos considerar que o trabalho de cuidar se torna um subsídio para a economia, já que esse dinheiro não volta para a mão das mulheres que o exercem. Então, reivindicar a remuneração para o trabalho doméstico é uma questão também de distribuição de renda e justiça social. Reconhecer o trabalho doméstico como trabalho e remunerá-lo decentemente é tão somente pagar aqueles que hoje estão trabalhando de graça.

Se a ideia de remunerar as mulheres por esse trabalho soa radical, é porque o próprio feminismo — sobretudo as vertentes que surgiram entre mulheres brancas de classe média e alta mais preocupadas em conquistar os mesmos empregos que os homens — custou a enxergar esse trabalho como relevante. Na Europa e nos Estados Unidos, e também nos centros urbanos brasileiros, as mulheres brancas de classe média e alta adentraram o mercado de trabalho remunerado contando com outras mulheres — pobres e racializadas — para assumir as funções domésticas. É sobre esse tema espinhoso que nos debruçaremos no próximo capítulo.

CAPÍTULO 3

O ponto cego da segunda onda feminista

~~~

O docinho mais amado dos brasileiros pode ser tradicional ou gourmet, com achocolatado ou cacau 100% em pó, servido direto na panela, na colher ou enroladinho; pode ser preto ou branco (ou combinado, casadinho), com coco (para ganhar nome de beijinho) ou castanha de caju. Hoje, com a valorização midiática da culinária, a criatividade impera e surgem novas cores e sabores: churros, red velvet, limão e por aí vai. Estou falando, claro, do brigadeiro. Mas você sabe a história por trás desse doce tão popular?

Em meados de 2021, recebi de um colega jornalista o pedido para divulgar um episódio do podcast *Prato Cheio*, realizado pelo projeto jornalístico *O Joio e O Trigo*, chamado "A moça da lata", que relatava a história do leite condensado no Brasil. Enquanto dirigia pela cidade de São Paulo, ouvindo a reportagem, fui atravessada por alguns sentimentos que variaram da indignação à surpresa de finalmente ver a confirmação de coisas que no fundo a gente já intuía, passando pela ansiedade de compartilhar a história com todo mundo. E então, no processo de escrita deste livro, notei que o caso do leite condensado ilustra perfeitamente a apropriação da alimentação familiar pela indústria alimentícia; é sobretudo um exemplo de como as grandes empresas perceberam — e lucraram com — um momento importante da luta feminista e da vida das mulheres de classe média que estavam ingressando no mercado de trabalho.

O leite condensado chegou ao Brasil no final do século XIX com o nome da marca em inglês, Milkmaid — literalmente, moça do leite, termo usado também para se referir à mulher que ordenha vacas, como sugere a ilustração do tão famoso rótulo. Como era difícil de pronunciar, os clientes apontavam para a imagem no rótulo e pediam "o leite da moça". Em 1921, quando a Nestlé abriu a primeira fábrica por aqui, em Araras (SP), adotou de vez o nome Leite Moça.[65] Mas o produto em si foi criado nos Estados Unidos em 1856 pelo inventor Gail Borden Jr., que buscava uma forma de conservar leite por mais tempo, já que o produto estragava rápido e contaminava as pessoas. Após várias tentativas fracassadas, Borden descobriu que, ao evaporar uma quantidade considerável de água e adicionar um bom tanto de açúcar, era possível retardar o desenvolvimento de bactérias e fungos. A ideia original era que os consumidores, em casa, acrescentassem água a esse leite condensado, fazendo-o se aproximar do estado original, mas descobriu-se que também era possível consumi-lo diretamente. Armazenado em latas bem lacradas, o produto podia ficar muito tempo nas prateleiras, sem refrigeração, sem estragar. A invenção de Borden logo chamou a atenção dos militares, e grandes quantidades de *condensed milk* foram usadas para sustentar combatentes durante a Guerra Civil dos Estados Unidos (1861-1865).[66]

Com o fim do conflito, a Nestlé (que comprou a principal fábrica estadunidense de leite condensado) e outros fabricantes precisavam encontrar novos mercados. Então, a empresa suíça adotou como estratégia a máxima "você pode substituir

---

[65] "Como a Nestlé se apropriou das receitas brasileiras (ou de como viramos o país do leite condensado)", *O Joio e O Trigo*, 8 abr. 2021.
[66] "O leite que condensa o Brasil", *piauí*, n. 182, nov. 2021.

o leite materno pelo leite condensado" — uma frase que só merece ser lida, hoje, em tom de piada. Assim, o leite condensado saiu das trincheiras direto para as mamadeiras, carregado pelo terrorismo alimentar aplicado à população, como demonstra um anúncio veiculado no Brasil em junho de 1936:

> Seria capaz de arriscar a vida de seu filhinho sentando-o na janella de um arranha-céo? Certamente que não! Entretanto, dando-lhe leite de procedencia duvidosa, está pondo-o em perigo, da mesma forma. Para as crianças, sobretudo nos primeiros mezes, só ha um alimento que convém: o leite. Mas é preciso que seja de bôa qualidade, puro, isento de fraudes e contaminações. Como ter certeza disso? Usando o Leite Condensado Marca "MOÇA" que é bacteriologicamente puro, de facil digestão, de alto conteúdo vitaminico, e que é encontrado em toda parte a preço modico.[67]

Amedrontar a população com o discurso científico de que o alimento industrial é superior e de que existe um corpo constantemente em risco — especialmente quando se trata de um bebê — foi uma estratégia sagaz. Afinal, quem poderia saber mais sobre como alimentar um ser indefeso do que homens de jaleco branco com suas tecnologias de ponta e instalações assépticas? Qual mãe, podendo oferecer um produto com chancela científica, colocaria o seu bebê em risco com "leite de procedencia duvidosa"?[68] O encontro do zelo materno com o terrorismo

---

[67] "Seu bebê pode voar pela janela", *Blog do Estadão*, 9 jan. 2011.
[68] Anúncios de produtos — chancelados por médicos — e manuais médicos foram elementos constantes na imprensa paulista, por exemplo, desde o início do século XX até a década de 1940. A ideia defendida — e internalizada por muitas leitoras — era a de que a "boa mãe" estava sempre atenta e vigilante à saúde dos filhos e do marido, enquanto

nutricional — fomentado com muito dinheiro e promessas infundadas — fez com que parte das mulheres, sobretudo as mais ricas, abandonasse a amamentação em prol dos leites enlatados.

Antes de mais uma vez culpar as mulheres, porém, é preciso entender que estamos falando de uma época completamente diferente de hoje. Para começar, não havia pílula anticoncepcional para controle de natalidade, então as famílias eram grandes. Não havia antibióticos nem a maioria das vacinas que temos atualmente, e a mortalidade infantil era alta. Culturalmente, tudo que era industrial e tecnológico era sinônimo de progresso e saúde, de tal forma que um leite enlatado — que ainda contava com o incentivo de governantes, produtores leiteiros e da mídia — de fato surgiu como uma substituição que fazia muito sentido. As mães já não queriam associar a infância com doença, pobreza, vida no campo, e pensavam que os produtos industrializados possibilitariam a existência de meninos e meninas bem nutridas e bem cuidadas. Essa mudança de mentalidade fez com que o sinônimo de criança forte passasse a remeter a uma criança alimentada, de preferência, com produtos industrializados.

Mas a mamata do leite condensado como substituto do peito estava com os dias contados, pois ao longo do século XX surgiriam as fórmulas infantis — muito mais adequadas para lactentes, embora até hoje inferiores ao leite materno. Um grupo de pediatras paulistas liderado por Pedro Alcântara Machado começou a contestar a adoção do leite condensado na alimentação de crianças. Eles questionaram o excesso de açúcar no produto, que era oferecido

---

se procurava provar, por intermédio de teses, palestras, livros, artigos de divulgação científica e, principalmente, pela imprensa diária, que a devoção e a ternura constituíam a alma feminina (Campos, 2007).

aos bebês em mamadeiras, diluído em água, e em merendas escolares para crianças mais velhas, alertando para um possível aumento de obesidade infantil, visto que o excesso calórico se transformava em gordura.

Incomodada com o diagnóstico dos médicos, a Nestlé convocou um grupo de pediatras, engenheiros de alimentos e nutricionistas para dar ao leite condensado um destino diferente. Foi quando a bela moça suíça se intrometeu no tacho da Tia Nastácia a mando de muitas Donas Bentas e transformou para sempre beijinhos, pudins de leite e papos de anjo, introduzindo no país o brigadeiro. A equipe da Nestlé estudou e testou muitas receitas da doçaria tradicional brasileira usando o seu leite condensado, e elas funcionaram. Mas era preciso convencer as donas de casa a usarem o produto em seus doces. A empresa disparou publicidades na imprensa, no rádio e na TV, mas não foi suficiente. A Nestlé decidiu então enviar um batalhão de representantes para as ruas, a fim de demonstrar as novidades para as brasileiras. "Onde tinha um grupo de mulheres, lá estavam as funcionárias da companhia: lojas, portas de escolas, paróquias, associações", disse Débora Fontenelle, nutricionista que trabalhou durante trinta anos na Nestlé, à repórter Juliana Faddul, da revista *piauí*.

Essa e outras estratégias contribuíram para o aumento das vendas do Leite Moça em 25% no início da década de 1960. Mas os efeitos perduram até hoje. Somos o país que mais consome leite condensado no mundo. A cada segundo, sete latas do produto da Nestlé são vendidas no Brasil, somando 220 milhões por ano — isso sem contabilizar as outras marcas.[69]

---

[69] "Como a Nestlé se apropriou das receitas brasileiras (ou de como viramos o país do leite condensado)", *O Joio e O Trigo*, 8 abr. 2021.

A história do leite condensado é um grande exemplo de como a indústria alimentícia age para mudar a cultura alimentar de um país através do terrorismo alimentar, da vulnerabilidade feminina e da praticidade. Assumir as tarefas da cozinha poderia ter sido uma boa solução, contribuindo para amenizar a carga física, mental e emocional da mulher branca que agora precisava se dedicar à dupla jornada de trabalho, não fosse o interesse da indústria focado unicamente no lucro, deixando a saúde da população em segundo plano. Infelizmente, a praticidade encontrada no curto prazo nos lares brasileiros deu lugar, no longo prazo, ao aumento de doenças crônicas relacionadas à alimentação, além de contribuir também para a poluição ambiental e para a manutenção das desigualdades sociais.

A mulher (branca e de classe média) sai da cozinha e a indústria entra

A classe média branca que se consolidou no Brasil ao longo da segunda metade do século XX foi o meio pelo qual o leite condensado e outros alimentos industrializados adentraram os lares do país. As mulheres pretas e pobres nunca deixaram de oferecer sua mão de obra para ganhar a vida — seja em troca de um salário, seja porque foram escravizadas —, mas foi a partir dos anos 1950 e, em especial, após o movimento feminista da segunda onda, iniciado nos anos 1960, que a parcela feminina branca da classe média saiu de casa maciçamente para trabalhar, não apenas no Brasil mas em outros países, sobretudo na Europa e nos Estados Unidos. Não é preciso ser bom em matemática para entender que menos horas em casa significava, claro, menos tempo para assumir as tarefas domésticas e de cuidados. Uma das formas de "ganhar tempo" era consumir mais alimentos industrializados.

Um excelente exemplo é o pão. Em 1890, nos Estados Unidos, 90% das mulheres assavam o próprio pão.[70] O pão pré-fatiado de fábrica foi lançado em 1928. Em 1965, a cada cem quilos de farinha que uma mulher levava para a cozinha, 75 quilos chegavam na forma de pão ou algum outro alimento pronto. Hoje, assar pão virou uma diversão para amantes da culinária e hipsters de classe média, embora continue sendo uma tarefa diária desempenhada por homens e mulheres pobres em regiões como a Índia e o Oriente Médio. Em 1900, uma típica família estadunidense de classe média gastava 44 horas semanais na preparação de alimentos, e a maior parte desse trabalho recaía sobre as mulheres (McCloskey 2000). Em outras palavras, nos dias em que se batia a própria manteiga e se assava o próprio pão, a preparação dos alimentos — incluindo as horas gastas em compra, cozimento e lavagem de louça — levava mais tempo que um trabalho em tempo integral feito fora do lar, considerando uma jornada de oito horas diárias, de segunda a sexta-feira. Em 1910, esse tempo caiu para seis horas e, na década de 1960, foi reduzido para uma hora e meia.

No Brasil, as mulheres brancas de classe média também sentiram essas mudanças. E, por mais que isso representasse um enorme ganho de liberdade, não veio sem um preço, como lembra Débora Fontenelle:

> Me desculpe o palavrão, mas a mulher das décadas de 1960 e 1970 é a mais fodida. Ela foi para a universidade ou foi trabalhar, e não aprendeu a cozinhar. Mas se casou e queria fazer

---

[70] "Why we have sliced bread", *Smithsonian Magazine*, 7 mar. 2012.

para o marido o pudim que a sogra fazia ou o doce que a mãe fazia. Aí vinha a pressão da mãe, da sogra, do marido, dos filhos, de todos os lados.[71]

Essas mulheres já não tinham mais tempo nem habilidades suficientes para executar as receitas elaboradas de suas mães e avós. Além disso, aquelas receitas de sinhá, herdadas da casa-grande, foram pensadas para um momento em que havia outro tipo de recurso (pessoas negras escravizadas) para despender do tempo e da energia necessária para seu preparo. E, por mais que a classe média contasse, sim, com empregadas domésticas, como abordaremos adiante, a maioria das famílias não tinha uma pessoa encarregada apenas de fazer a comida. Portanto, a indústria alimentícia detectou a oportunidade de intervir nas questões de acesso (que vimos no primeiro capítulo), vendendo praticidade e tempo a preços baixos. Foi assim que grande parte das mulheres brancas de classe média caíram de amores pelos alimentos industrializados.

Nas décadas de 1960 e 1970, com o crescimento urbano e o avanço da industrialização, a população brasileira se estratificou ainda mais. A classe média aumentou, mas a concentração de renda também. Essas mudanças sociais impactaram a cultura alimentar do país. Comer sempre foi mais do que suprir uma necessidade básica; é uma expressão de identidade. Não surpreende, portanto, que, em períodos de transformação socioeconômica, os hábitos alimentares mudem. No caso daquela nova classe média, essa mudança se expressava numa rejeição daquilo que era identificado como comida de pobre, valorizando os produtos dos tempos modernos, isto é, aqueles

[71] "O leite que condensa o Brasil", *piauí*, n. 182, nov. 2021.

que vinham de fábricas, tinham nomes estrangeiros e eram anunciados no rádio e na TV — que também era vista como um signo da nova era. Hoje, graças ao modismo das dietas sem glúten, o tradicional café da manhã nordestino, com tapioca, cuscuz de milho e raízes cozidas, passou a ser muito valorizado. Até uma década atrás, porém, comer inhame no desjejum não era motivo de orgulho, mas falta de opção.

Em suma, quando as mulheres de classe média saíram de casa para desbravar o mercado de trabalho, grande parte das tarefas de preparo dos alimentos foi absorvida pela indústria e por seus funcionários mal remunerados, além dos trabalhadores do campo responsáveis pelo cultivo e pela colheita das matérias-primas (para os alimentos à base de grãos e vegetais) e dos funcionários de fazendas criadoras de animais e abatedouros (para os alimentos de origem animal). Também proliferaram os restaurantes e as cadeias de fast-food, efetivamente tirando a alimentação (inclusive o preparo da comida, a arrumação e a lavagem de louças posterior à refeição) do âmbito doméstico. Nesses lugares, as pessoas que fazem a comida também tendem a ser de baixa renda, geralmente pretas, pardas ou migrantes, como veremos a seguir.

Fast-food e homogeneização da cultura alimentar

Uma viagem que fiz, de carro, para Salvador, partindo do Rio de Janeiro, escancarou para mim a facilidade com que os produtos ultraprocessados chegam a todos os lugares do Brasil, homogeneizando a cultura alimentar local. Estávamos em 2004, a paisagem era belíssima, e só não foi uma viagem totalmente deliciosa porque o acesso aos alimentos ricos, nativos e tradicionais da Bahia acabou sendo muito mais difícil do que eu imaginara. Na época, eu já havia tomado consciência dos impactos de uma má alimentação na minha saúde e também no meio ambiente. Mas eu tinha a ilusão romântica de que, viajando pelas belas paragens baianas, eu poderia parar na beira da estrada para comer uma tapioca, um abará, uma moqueca, tomar um suco fresco de cupuaçu, cacau ou graviola — o que ficou somente no plano das ideias.

Em qualquer boteco ou posto de gasolina que a gente parasse, a oferta era majoritariamente de produtos ultraprocessados. Quando vi uma linda plantação de mandioca e banana na beira da estrada, me enchi de esperança, e resolvemos parar na lanchonete mais próxima para descansar e comer algo. A alegria durou pouco: só serviam cachorro quente pronto, sanduíche de presunto já embalado, pastel, um ou dois tipos de doce. Absolutamente nada me apetecia. Perguntei o que o pessoal que trabalhava lá comia no expediente, e eles me disseram que às vezes faziam umas tapiocas. Perguntei se poderiam fazer uma pra mim só com manteiga, mas nem assim fui feliz, pois eles não tinham manteiga, apenas margarina.

"Refrescar o mundo": essa é a missão autodeclarada da maior fabricante e distribuidora de refrigerantes do planeta. Fundada em 1886, a Coca-Cola está em praticamente todos os cantos da Terra, cumprindo seu objetivo global — a tal ponto que, ao lado de um amplo mandiocal, eu podia tomar um refrigerante, mas não comer um tubérculo cozido. A Coca-Cola consegue colocar suas bebidas à venda em todo o Brasil, assim como fazem outras marcas da indústria alimentícia com seus produtos enlatados, embalados, cheios de conservantes — e com a comunicação em massa que gera demanda e desejo de consumo. E é assim que se chega ao fenômeno dos pântanos alimentares mencionados no capítulo 1, um reflexo do sistema socioeconômico e comercial em que vivemos.

Na América Latina, a compra per capita de fast-food aumentou 38,9% entre 2000 e 2013. Esse consumo cresceu constantemente em todos os países da região, com exceção da Argentina. As compras dobraram em Bolívia, Colômbia, Costa Rica, Chile, Peru e República Dominicana. O crescimento mais rápido foi observado no Peru (265%), onde o consumo aumentou de 8,7% em 2000 para 31,8% em 2013, e na Bolívia (275%), que passou de um número muito menor — 0,8% — para 3%. Na Guatemala, no México, no Uruguai e na Venezuela, o crescimento das vendas ficou entre 40% e 75%, enquanto o Brasil registrou crescimento de 25% (Opas, 2018). Esse aumento no consumo de produtos ultraprocessados pode trazer algum conforto individual a curto prazo, como economia de tempo e dinheiro, mas as consequências para a saúde humana e ambiental chegam de forma violenta.

Em 2017, o *New York Times* publicou uma extensa reportagem sobre o poder da indústria e o aumento do consumo de junk food no Brasil.[72] O exército de vendas diretas da Nestlé — o mesmo que existe desde o século passado, como vimos na história do Leite Moça — reflete uma estratégia comum a outras empresas da indústria alimentícia. O objetivo é fazer com que suas bebidas açucaradas e comidas ultraprocessadas, desenvolvidas em laboratórios na Europa e nos Estados Unidos, cheguem aos rincões mais afastados do mundo, incluindo os povos ribeirinhos na Amazônia. Com a promessa de facilitar a vida das mulheres que cumprem duas ou três jornadas de trabalho diárias, e com milionárias campanhas de

---

[72] "Como a grande indústria viciou o Brasil em junk food", *The New York Times*, 16 set. 2017.

marketing, esses produtos vão substituindo a culinária local e mudando os hábitos (e a saúde) dos brasileiros, do Oiapoque ao Chuí. Não podemos negar que eles de fato aliviam um pouco o fardo da rotina diária dos mais vulneráveis, o que é bem-vindo. Mas, a que preço? E em benefício de quem, exatamente? A indústria poderia utilizar-se da tecnologia e do conhecimento adquirido para produzir alimentos mais saudáveis e sustentáveis. Porém, como o lucro vem sempre na frente, ainda preferem fabricar porcaritos e pescar consumidores no Sul global, enquanto os países desenvolvidos procuram outras opções alimentares.

De quem é a vida consumida ao pé do fogão?

O branco inventou que o negro
Quando não suja na entrada
Vai sujar na saída, ê
Imagina só
Vai sujar na saída, ê
Imagina só
Que mentira danada, ê

Na verdade a mão escrava
Passava a vida limpando
O que o branco sujava, ê
Imagina só
O que o branco sujava, ê
Imagina só
O que o negro penava, ê

Mesmo depois de abolida a escravidão
Negra é a mão
De quem faz a limpeza
Lavando a roupa encardida, esfregando o chão
Negra é a mão
É a mão da pureza

Negra é a vida consumida ao pé do fogão
Negra é a mão
Nos preparando a mesa
Limpando as manchas do mundo com água e sabão
Negra é a mão
De imaculada nobreza

Na verdade a mão escrava
Passava a vida limpando
O que o branco sujava, ê
Imagina só
O que o branco sujava, ê
Imagina só
Eta branco sujão

Reproduzi acima a letra da música "A mão da limpeza", do cantor e compositor Gilberto Gil — ex-ministro da Cultura e, como presente divino, meu pai —, porque ela diz muito sobre as origens da divisão desigual do trabalho doméstico no Brasil e sobre a aliança nefasta do racismo e do machismo que estrutura a nossa sociedade.

A desvalorização do trabalho doméstico no país tem suas raízes no período colonial escravista. Antes da chegada dos portugueses, as muitas populações indígenas viviam outro tipo de relação com a produção de sua subsistência, com um estilo de vida completamente diferente do europeu. Os Guarani, por exemplo, se baseavam numa economia comunitária do tipo cooperativista, na qual o indivíduo não era reconhecido como sujeito econômico, e tampouco existia o conceito de competição entre membros do mesmo grupo (Souza, 2002). Lamentavelmente, com a colonização, o território onde viviam diversas etnias indígenas se tornou uma colônia de exploração para a acumulação capitalista portuguesa, baseada no lucro privado e na exploração de corpos vulneráveis e da natureza.

O Brasil foi a plataforma sobre a qual Portugal acumulou matéria-prima para aumentar seu poder e sua riqueza. O objetivo dos portugueses era atender às demandas do mercado europeu, lucrando no processo. Nesse sentido, o desenvolvimento local e os habitantes da colônia foram relegados. Os proprietários de terra e das monoculturas de cana-de-açúcar, café e algodão adquiriram africanos escravizados para trabalhar na produção de bens, a fim de acumular capital com a comercialização das mercadorias. A concentração de riqueza baseada na opressão de africanos e afrodescendentes foi, assim, instituída com o escravismo.

Nas classes média e alta, que possuíam negros e negras escravizadas, as mulheres estavam no comando do ambiente doméstico, dando ordens sobre o que fazer e como executar as tarefas da casa. Elas eram verdadeiras gerentes do lar, enquanto os homens se responsabilizavam pelo trabalho produtivo que acontecia além das paredes da residência. A tradicional família branca brasileira foi estruturada de forma nuclear e hermética, isolada dentro da chamada "casa-grande": o homem cuidava de todo o contato com o mundo exterior, com a vida social; a mulher cuidava da casa, que era administrada como um negócio doméstico, no qual o marido não tinha tanta voz.

Entre os muitos costumes herdados de Portugal, não amamentar os filhos se tornou um símbolo de status, reforçando ainda mais a desvalorização do trabalho reprodutivo e transferindo a amamentação para a ama de leite — figura que foi socialmente construída e instalada. Mulheres negras escravizadas eram forçadas a desmamar os próprios filhos em favor das crianças brancas da sinhá.[73] A urbanização ajudou a difundir a prática da ama de leite nos novos estratos sociais e abriu caminho para a figura da mãe preta, que podia ser contratada por terceiros. A importância atribuída a esse novo ator social assumiu tamanha proporção que alguns senhores de escravos chegaram a admitir que criar negras para alugar como amas de leite era mais rentável do que plantar café (Almeida, 1999).

O fato é que, ao longo de boa parte da história do Brasil, mulheres escravizadas nutriam e cuidavam de crianças abastadas, que eram entendidas como continuação ou expansão do patrimônio familiar, já que o pai e o proprietário de terra só se interessavam por filhos adultos, que podiam herdar seus bens (no caso de homens) ou se casar com membros de famílias ricas e poderosas (no caso de mulheres), contribuindo para trazer mais status para a família. Quanto às crianças pobres, elas eram também cuidadas por mulheres pretas

---

[73] Apesar de recomendarem a amamentação natural, os médicos também apontavam, no século XIX, os nervos "fracos", a condição dos seios, doenças familiares, entre outros, como elementos que caracterizavam as mulheres brancas como "linfáticas": nesses casos, a amamentação poderia se tornar um problema para a saúde de seus filhos. Enquanto isso, as amas escravizadas eram vistas como portadoras de defeitos morais e físicos, contaminadas por doenças e pelos seus próprios maus hábitos; ainda assim, eram pensadas como mulheres que produziam quantidade grande de leite "forte", nutritivo (Machado, 2017).

e pobres, ou brancas imigrantes empobrecidas, quando não moravam na casa das famílias de seus senhores — na escravidão, como crianças escravizadas, e, após a abolição, por meio de arranjos de trabalho informais (Ariza, 2020).

Como sabemos, a abolição da escravidão, em 1888, não fez muito para mudar esse padrão: mulheres descendentes de escravizados continuaram fazendo grande parte dos trabalhos domésticos — e sendo muito mal remuneradas por isso.[74] A forma de organizar o trabalho doméstico tampouco sofreu uma revolução com as demandas e reivindicações do movimento feminista, a partir de 1920. Pelo contrário. Sobretudo a partir dos anos 1960, com a segunda onda feminista, como dissemos, as mulheres das classes média e alta começaram a sair de casa para ingressar no mercado de trabalho — e as escravizadas de outrora foram substituídas por empregadas domésticas. Agora, essas mulheres (na maioria, brancas) podiam se dedicar aos estudos, a uma carreira profissional e a um convívio social sem comprometer a vida doméstica e familiar, justamente porque havia outra mulher (em geral, preta) cuidando de sua casa, de seu marido e de seus filhos. Algumas rejeitaram o trabalho fora do lar para se dedicar exclusivamente à família, mas normalmente com "ajuda" doméstica. E uma minoria rejeitou a maternidade e a vida de esposa, a fim de dedicar-se à carreira — essas, também, geralmente pagavam outra mulher para cuidar da casa.

---

[74] Lorena Féres da Silva Telles (2013) mostra como ex-escravizadas, em suas ocupações como lavadeiras, engomadeiras, cozinheiras, amas de leite e quitandeiras, compunham a ampla categoria de "trabalho doméstico" nos anos seguintes à abolição.

Ou seja, as mulheres brancas de estratos sociais mais altos passaram a ter escolha: trabalhar fora, ficar em casa, casar ou não. No entanto, não foi concedida a mesma oportunidade às mulheres pretas e pobres, muitas das quais se tornaram trabalhadoras domésticas. No Brasil escravista, surgira no cenário urbano a figura dos "escravos de ganho", homens e mulheres negras escravizadas a quem era permitido prestar serviços remunerados na cidade, como lavar roupas, trabalhar como amas de leite, vender quitutes, peixes e tecidos. Tinham que dar aos senhores a maior parte do dinheiro que ganhavam, mas ficavam com uma parcela — um pouco do lucro ou o excedente das vendas. Portanto, já durante a escravidão, as mulheres negras conheceram a dupla e a tripla jornada de trabalho, exercendo tarefas na senzala, na casa-grande e na rua, muito antes de as mulheres brancas de classe média conquistarem o mercado de trabalho. Devido ao racismo estrutural, essas mulheres não tiveram (e não têm, até hoje) as mesmas condições e oportunidades educacionais ou de trabalho que as mulheres brancas tiveram (e continuam tendo).

Assim, podemos testemunhar uma contradição, ou talvez uma escolha, do feminismo branco. Como diz a jornalista Koa Beck no livro *Feminismo branco: das sufragistas às influenciadoras e quem elas deixaram para trás*, "é essa mesma contradição que tornou as trabalhadoras domésticas essenciais para a egocêntrica e frequentemente capitalista ascensão à igualdade de gênero das feministas brancas — seja em sua casa, em seu ambiente de trabalho ou dentro de sua própria família" (Beck, 2021). Ao longo da história, feministas brancas têm sido reticentes em admitir que sua possibilidade de participar da vida pública depende das mulheres racializadas e migrantes. E Koa cita uma passagem do livro *Mulheres, raça e classe*, da ativista negra estadunidense Angela Davis:

> As mulheres brancas — incluindo as feministas — demonstraram uma relutância histórica em reconhecer as lutas das trabalhadoras domésticas. Elas raramente se envolveram no trabalho de Sísifo que consistia em melhorar as condições do serviço doméstico. Nos programas das feministas "de classe média" do passado e do presente, a conveniente omissão dos problemas dessas trabalhadoras em geral se mostrava uma justificativa velada — ao menos por parte das mulheres mais abastadas — para a exploração de suas próprias empregadas. (Davis *apud* Beck, 2021)

O trabalho doméstico remunerado é o principal nicho ocupacional das mulheres no Brasil: mais de 90% dos trabalhadores nesses serviços são do sexo feminino. A profissão de empregada doméstica representa uma oportunidade de trabalho para aproximadamente 17% da força de trabalho brasileira. De acordo com os dados do quarto trimestre de 2021 da Pesquisa Nacional de Amostra por Domicílios (Pnad) Contínua do IBGE, 5,7 milhões de brasileiros trabalham em atividades domésticas. Do total, apenas 1,2 milhão possui registro em carteira e 4 milhões não possuem vínculo empregatício, trabalhando como diaristas. Essa é considerada uma ocupação precária devido às longas horas de trabalho, ao baixo número de trabalhadores com carteira assinada (apenas 24%) e aos salários reduzidos (em 2021, a média de rendimentos mensais era inferior a um salário mínimo).[75]

Como Selma James, Silvia Federici, Leopoldina Fortunati e outras feministas do movimento Wages for Housework

---

[75] "Trabalho doméstico no Brasil", Departamento Intersindical de Estatística e Estudos Socioeconômicos, 2022. Disponível em: https://www.dieese.org.br/infografico/2022/trabalhoDomestico.html

[Salários para o trabalho doméstico] explicaram de forma tão precisa nos anos 1970, as mulheres (brancas) ingressaram no mercado de trabalho e lutaram por liberdade financeira, mas não se libertaram da responsabilidade pelo trabalho doméstico. Quem tinha condição terceirizou esse trabalho para outras mulheres. A maioria (pelo menos no Hemisfério Norte, de onde elas escrevem) ficou com a dupla jornada, trabalhando fora de casa por dinheiro e dentro de casa de forma não remunerada. Em ambos os casos, o trabalho reprodutivo continuou nas mãos das mulheres. E é por isso que essas feministas advogam pela valorização do trabalho doméstico. Sem que esse trabalho seja justamente remunerado, continuaremos a reproduzir e solidificar a desigualdade de classe, raça e gênero em nossa sociedade, pois o feminismo branco liberal perpetuou o sistema de opressão patriarcal ao não questionar o poder como e onde está, ao não reivindicar a emancipação de todas as mulheres, inclusive e principalmente das mulheres racializadas.

Homens, equidade e carga mental

Um estudo do IBGE divulgado em 2007 trouxe vários dados sobre a divisão das tarefas e das responsabilidades domésticas nos lares brasileiros. Números de 2001 mostraram que apenas 42,6% da população masculina faziam trabalhos domésticos em casa, embora esse percentual tenha subido para pouco mais da metade (51,1%) em 2005. Talvez você tenha achado aceitável ou até mesmo melhor do que esperava, mas, entre as mulheres, 90,6% disseram fazer trabalhos domésticos — ou seja, praticamente o dobro.

Essa sobrecarga feminina é verificada em todas as classes sociais. Na população com menos de quatro anos de estudo, por exemplo, a proporção de homens que cuidam de afazeres domésticos é de 47%, ante 89% das mulheres. Entre os mais escolarizados, aumenta um pouco o percentual masculino — chega a 54% —, mas a das mulheres não muda praticamente nada: 88,7%.[76]

Ainda de acordo com o estudo do IBGE, o tempo médio que os brasileiros dedicam a tarefas domésticas caiu de 23,4 horas semanais em 2001 para 19,9 horas em 2005. Embora essa queda tenha afetado mais mulheres do que homens, a desigualdade na divisão do trabalho doméstico persiste. Na maioria dos lares brasileiros, com sorte, os homens "ajudam" — verbo que todos nós insistimos em usar para falar de pessoas do gênero masculino que contribuem com os cuidados domésticos e parentais, mas que deveríamos abandonar, já que a palavra sugere que eles estejam fazendo um favor, e não cumprindo uma obrigação.

Na esfera do trabalho remunerado, quem detém o poder, define as estratégias e lidera empresas e instituições públicas e privadas, na esmagadora maioria dos casos, é o homem. Curiosamente, as mesmas mentes brilhantes, os mesmos homens fortes, parecem incapazes de tomar decisões na esfera doméstica, muitas vezes não sabendo onde guardar um utensílio de cozinha usado diariamente ou como agir diante de um filho com febre. Como escreve a jornalista espanhola Rita Abundancia,

[76] "Casa toma 25 horas por semana da mulher", *Folha de S. Paulo*, 18 ago. 2007.

> Se compararmos a casa com uma grande empresa, veremos que, na grande maioria dos casos, são elas que programam, preveem, fazem planos, adiantam possíveis falhas ou problemas e têm em conta todos os detalhes e a interação das partes. Mas, além desse trabalho de executivo, as donas de casa também realizam os trabalhos reservados aos empregados, à mão de obra: cozinham, limpam, cuidam dos outros, colocam a máquina de lavar roupa para funcionar, fazem as compras ou descem o lixo.[77]

Mesmo quando os homens participam desse trabalho, a carga mental — ou seja, a quantidade de esforço não físico e deliberado necessário para que o resultado concreto seja alcançado — é quase sempre suportada pelas mulheres. Em outras palavras, a gestão de todas essas pequenas tarefas é, em última instância, dela. Embora o termo "carga mental" seja relativamente novo, é algo com o qual quase toda mulher se identifica: a consciência de que, mesmo que haja outra pessoa executando as tarefas, o peso da responsabilidade é dela, por mais que ela não tenha se candidatado ao cargo de "CEO do lar".

Nos Estados Unidos existe uma expressão chamada *hospital fantasy* [fantasia hospitalar], que nada mais é do que desejar sofrer um pequeno acidente ou contrair uma doença que não seja grave mas que inspire cuidados suficientes para poder passar alguns dias no hospital e se ver livre das obrigações domésticas. Os estadunidenses têm uma das maiores cargas horárias de trabalho do mundo ocidental e pouquíssimos direitos trabalhistas, como férias e licença maternidade remuneradas. Na Índia, as mulheres chegam a cometer suicídio devido à sobrecarga física, mental

---

[77] "Carga mental: a tarefa invisível das mulheres de que ninguém fala", *El País*, 7 mar. 2019.

e emocional. De acordo com dados oficiais, 22.372 donas de casa indianas cometeram suicídio em 2020 — uma média de 61 por dia ou um a cada 25 minutos. As donas de casa representaram 14,6% do total de 153.052 suicídios registrados na Índia em 2020 e mais de 50% do número total de mulheres que se mataram.[78]

Eu poderia trazer muitos mais dados e estatísticas, mas prefiro deixar duas perguntas. Quantos homens você conhece que sonham em adoecer para se libertar das obrigações domésticas? Quantos homens você imagina tirando a própria vida por não suportar mais o peso das tarefas de cuidado?

Onde estamos e onde queremos chegar?

Por mais que eu ame cozinhar, sei que a libertação da cozinha foi essencial e maravilhosa para as mulheres, muito embora, como já dissemos, tenha beneficiado desproporcionalmente as mulheres brancas das classes média e alta. A volta para o âmbito doméstico e para o pé do fogão em detrimento da vida pública (da profissão, do exercício político, do lazer, da expressão criativa e todo o resto) deve ser uma opção, e não uma imposição.

É preciso reconhecer que avançamos nesse quesito em muitas partes do mundo. À medida que dispositivos tecnológicos e produtos fabricados em massa se espalham para novas regiões, menos horas passam a ser despendidas dentro de casa. Globalmente, 55% das famílias ainda cozinham inteiramente a partir de ingredientes frescos pelo menos uma

---

[78] "50% of women suicide deaths were of housewives: NCRB", *The Times of India*, 31 ago. 2022.

vez por semana.[79] Uma pesquisa de 2015, feita pela empresa alemã GfK com mais de 27 mil pessoas em 22 países, descobriu que a carga horária média empenhada no preparado de refeições entre aqueles que cozinham regularmente é de 13,2 horas por semana na Índia, 8,3 na Indonésia e 5,9 nos Estados Unidos.[80] A diferença de tempo gasto na preparação de alimentos entre países ricos e pobres permanece grande. Mas, mesmo na Índia — o país mais pobre entre os incluídos na pesquisa, e aquele com a maior carga horária média na preparação de alimentos —, as mulheres dedicam quase 31 horas a menos à preparação de alimentos por semana do que as famílias dos Estados Unidos dedicavam em 1900. Os sul-coreanos são os que gastam o menor tempo na cozinha, com menos de quatro horas semanais, graças à oferta de comida de rua acessível, com qualidade nutricional e bem distribuída geograficamente, como bolinhas de arroz picante, espetinho de frango e legumes. Os supermercados da Coreia do Sul também oferecem amostras de comida, e lojas de conveniência vendem comida pré-prontas. O Brasil ocupa o penúltimo lugar na pesquisa da GfK, com um pouco mais de cinco horas semanais dedicadas ao preparo das refeições. Acredito que a paridade com os sul-coreanos se dê pela terceirização do trabalho doméstico no Brasil, que é o segundo país com o maior número de empregadas domésticas em todo o mundo, atrás somente da China. A média internacional de tempo gasto na cozinha, de acordo com o estudo, é de menos de seis horas e meia por semana.

---

[79] "Home cooking and eating habits: global survey strategic analysis", Euromonitor International, 30 abr. 2012.
[80] "Consumers attitudes and time spent cooking", GfK, 31 mar. 2015.

Alguns fatores fizeram com que reduzíssemos o tempo gasto nas tarefas domésticas, especificamente no ato de cozinhar, com consequências positivas e negativas para a sociedade. O acesso a eletrodomésticos cada vez mais modernos e eficientes, o avanço da luta feminista pela redistribuição do trabalho doméstico entre homens e mulheres, e políticas públicas como as creches, o Programa Nacional de Alimentação Escolar e os restaurantes populares são alguns exemplos positivos para a redução da carga de trabalho doméstico, e que precisam ser reforçados. No entanto, a chegada de produtos industrializados, pré-prontos ou prontos para consumo, junto com a persistente desvalorização do trabalho doméstico — que saiu das mãos de mulheres escravizadas para as de empregadas domésticas mal remuneradas —, precisa ser revista para que a vida de mulheres pretas e pobres possa ser transformada.

É preciso modificar a lógica de invisibilidade do trabalho de cuidados no lar desempenhado por quem quer que seja — uma trabalhadora doméstica, uma dona de casa ou uma mãe de família. Valorizar o trabalho doméstico é fundamental para que as empregadas domésticas também tenham melhor tratamento, melhores salários e melhores condições de vida. Essa valorização deve ser acompanhada do fortalecimento de outras políticas públicas que apoiem o trabalho de cuidado, como casas para idosos e pessoas com deficiência passarem o dia, cozinhas comunitárias, lavanderias comunitárias e a redução da jornada de trabalho — que, no Brasil, é de 44 horas semanais.

Cozinhar dá trabalho. Cozinhar é trabalho. O ato de plantar, colher, comprar ingredientes e preparar refeições precisa ser visto e valorizado como uma atividade importante e imprescindível, pois, além de nutrir o corpo, produz e perpetua uma cultura. Em uma sociedade baseada em conceitos patriarcais, machistas e escravocratas, como a brasileira, todo trabalho relacionado com a manutenção da vida — cuidar, servir, alimentar, limpar, cozinhar, plantar etc. — é desprestigiado. Encontramos valor naquilo que é produzido e consumido fora do âmbito doméstico, esquecendo-nos de que, sem o trabalho doméstico, nenhum outro trabalho é possível. Por isso, precisamos enxergar esse trabalho com outros olhos. Homens e mulheres não precisam fugir da cozinha para se sentirem produtivos. Os homens, em especial, precisam encarar o fogão e desvincular o preparo de alimentos no âmbito doméstico como algo "feminino". O Estado precisa dar suporte às mulheres que encaram esse trabalho todos os dias. As conquistas feministas do século XX foram fundamentais para a emancipação da mulher branca. De fato, ganhou-se muito. Mas precisamos ganhar mais.

E se a dona de casa recebesse salário?

A melhor forma de garantir um futuro mais saudável para a sociedade como um todo é remunerar as mulheres (e os homens, quando for o caso) pelo trabalho reprodutivo que fazem na própria casa. O trabalho dito produtivo — isto é, aquele exercido fora (ou melhor, em tempos de trabalho remoto, *para* fora) de casa — é recompensado em dinheiro, enquanto o trabalho reprodutivo — aquele realizado para dentro de casa, e que sustenta a força de trabalho — não é sequer contabilizado, muito menos valorizado. Teríamos bem mais equidade e equilíbrio se esse trabalho também fosse devidamente remunerado.

Há mais de cinquenta anos, grupos feministas já defendiam o pagamento de salários para o trabalho doméstico, para que as mulheres não tivessem que se submeter financeiramente a um homem ou recorrer a subempregos. O trabalho reprodutivo de criação e cuidado de crianças, doentes e idosos, bem como de limpeza e culinária, são os alicerces da economia e a base da futura geração de trabalhadores produtivos. O principal objetivo da remuneração para o trabalho doméstico, em meados do século XX, era dar às mulheres a liberdade de decidir se queriam entrar no mercado de trabalho sem depender ou se submeter à pressão social. Relacionava-se ainda com a autonomia financeira, um dos alicerces do feminismo.

As feministas também alertavam para uma naturalização da visão de que o trabalho doméstico deve ser feito exclusivamente por mulheres. Em *O ponto zero da revolução: trabalho doméstico, reprodução e luta feminista*, a filósofa italiana Silvia Federici (2019, p. 46-7) afirma que os salários para o trabalho doméstico são "a reivindicação pela qual termina a nossa natureza e começa a nossa luta, porque o simples fato de querer salários para o trabalho doméstico já significa recusar esse trabalho como uma expressão de nossa natureza, e, portanto, recusar precisamente o papel feminino que o capital inventou para nós".

Apesar da intensa militância das mulheres que se engajaram na campanha Wages for Housework, o salário não chegou, nem nos Estados Unidos nem na Itália, países onde o movimento mais se estruturou. Mas Silvia Federici e suas camaradas, e tantas outras que aderiram ao movimento, foram fundamentais para que hoje o trabalho doméstico não remunerado fosse minimamente reconhecido. Em uma entrevista concedida em 2018, a autora explica a importância da luta que conduziram nos anos 1970:

> Acho que foi transformador porque em toda a tradição esquerdista, marxista, anarquista não havia nada sobre trabalho doméstico.

Era invisível. Até mesmo poder dizer "isso é trabalho" ajudou a tornar possível lutar contra [sua desvalorização]. Para nós, o salário para o trabalho doméstico não seria um ponto final, mas contribuiria para mudar as relações sociais de forma favorável a nós e à nossa luta. Acreditamos que mudaria a relação entre as mulheres, o capital e o Estado ao acabar com o papel mediador dos homens. Não foi uma luta salarial comum, porque mudou a relação entre mulheres e homens e mulheres e Estado, expondo o valor de nosso trabalho e a imensa riqueza que o capital acumulou com nosso trabalho não remunerado. O objetivo era conseguir salários para o trabalho doméstico para elevar o nível de nossa luta, não para acabar com ela.[81]

No final de 2021, tive o privilégio de conversar com Silvia Federici por teleconferência para trocar algumas ideias para este livro. A autora de *Calibã e a bruxa* continua muito convicta da importância do movimento em prol da remuneração do trabalho doméstico, mesmo reconhecendo os desafios. Para Federici, é papel do Estado viabilizar e executar os repasses de dinheiro, porque não dá para esperar que a iniciativa privada arque com essa conta, apesar de ser a grande beneficiária do trabalho invisível.

Na medida em que busca reconhecer o valor do trabalho doméstico e recompensá-lo adequadamente, essa reivindicação não se restringe a uma questão econômica; trata-se também de uma pauta política e social. Receber salários reduziria o ônus do trabalho doméstico sobre as mulheres e as ajudaria a compartilhar essas tarefas com os homens — o mesmo vale para qualquer composição familiar em que um dos cônjuges,

---

[81] "In the kitchens of the metropolis: an interview with Silvia Federici", *Toward Freedom*, 15 out. 2018.

homem ou mulher, acaba absorvendo as tarefas não remuneradas, o que geralmente afeta a autonomia financeira dessa pessoa e a dinâmica de poder da relação. Com o trabalho reprodutivo dividido de forma mais igualitária dentro de casa, todos encontrariam mais prazer em cozinhar e fornecer alimentos de melhor qualidade para a família. Porque é o esgotamento físico e mental vivenciado pela maioria das mulheres que as faz recorrer à comida ultraprocessada.

Considerando todos os argumentos e o fato de que esse trabalho foi invisibilizado durante muito tempo, remunerar o trabalho doméstico diretamente seria mais que merecido e justo. Como já vimos, as mulheres ao redor do mundo, ao exercerem tarefas de cuidado, geram uma fortuna que equivale a aproximadamente 13% da riqueza mundial — sem ganhar um tostão por isso. Seria mais do que lógico, portanto, que elas recebessem dinheiro de verdade por esse trabalho. Em outras palavras, poderíamos calcular a riqueza produzida per capita, dividindo o montante pelo número de pessoas que produzem esse trabalho, e remunerar cada mulher por cada hora que passa lavando roupa, picando legumes, fazendo compras, cuidando de crianças etc. Ao invés de abrir mão desse dinheiro para o acúmulo de capital de corporações que não deveriam lucrar com isso, o valor iria direto para o bolso das mulheres (e dos homens que também exercem esse papel, embora ainda sejam minoria).

Eu estou convicta de que esse é o caminho para começar a resolver o problema de "quem vai fazer essa comida" e, assim, vislumbrar um mundo com mais possibilidades para as famílias que, hoje, por falta de dinheiro, tempo, insumos etc., não têm condições de se alimentar com comida de panela. Mas compreendo perfeitamente que precisamos ainda dar muitos passos para que um dia possamos transformar essa reivindicação em realidade. Por isso, quis conversar com alguém que tivesse experiência concreta em ações de combate à miséria e redução de desigualdades no Brasil. E escrevi para a economista Tereza Campello, ministra do Desenvolvimento Social e Combate à Fome entre 2011 e 2016, no governo Dilma Rousseff.

Tereza liderou alguns projetos sociais que ajudaram a tirar o Brasil do Mapa da Fome das Nações Unidas, como o Bolsa Família e o Programa 1 Milhão de Cisternas, entre outros. Já havíamos nos encontrado algumas vezes em palestras e gabinetes, e chegamos a fazer uma entrevista juntas, sobre questões relacionadas à fome e à alimentação no Brasil, para o *Canal da Bela*, no YouTube, em 2016. Em abril de 2022, Tereza foi ao Camélia Òdòdó, meu restaurante em São Paulo. O dia estava frio, mas ensolarado, e nos sentamos a uma mesa na varanda. Tereza concorda com a importância do reconhecimento, da valorização e da remuneração do trabalho doméstico, e defende que, para chegarmos à remuneração, precisamos sensibilizar a sociedade para entender que uma boa alimentação depende desse trabalho: é imprescindível inseri-lo nas contas governamentais e chegar a um valor preciso, antes de falar em distribuição. Também é necessário reconhecer e reforçar as políticas públicas já existentes no Brasil que apoiam e dão suporte às mulheres e ao trabalho de cuidado, como o Bolsa Família (substituído em 2021 pelo Auxílio Brasil e retomado em 2023), o Benefício de Prestação Continuada, previsto na Lei Orgânica da Assistência Social, as creches públicas, os restaurantes populares etc. E, por último, temos que criar mais ferramentas sociais de apoio ao trabalho doméstico, como a redução da jornada de trabalho, a criação de cozinhas e lavanderias comunitárias e hortas urbanas, entre outros.

Vale a pena falar mais profundamente sobre alguns dos caminhos que já foram colocados em prática no Brasil

— e também de outros que ainda não saíram do papel —, na esperança de ampliar a conversa, colocar o trabalho doméstico não remunerado no centro do debate e, quem sabe, animar mais gente a pensar e criar soluções factíveis e efetivas para essa questão, que envolve não apenas justiça social mas também a saúde e o bem-estar da população e do planeta. Quanto mais pessoas perceberem que não tem como resolver os problemas da má alimentação, do processamento dos alimentos e da desigualdade de gênero, raça e classe sem olhar para a questão do trabalho reprodutivo, mais rápido chegaremos a soluções eficazes e sustentáveis. Com mais consciência da complexidade da questão, estaremos mais equipados, no nível individual e coletivo, para agir em prol de mudanças e pressionar por medidas que possam fazer a diferença.

Reconhecendo e fortalecendo os programas já existentes

O Brasil é um país que garante constitucionalmente direitos à educação, à alimentação e à saúde. O Sistema Único de Saúde (SUS), as escolas e universidades públicas e os programas nacionais de alimentação escolar e de aquisição de alimentos são exemplos de políticas de garantia à sobrevivência do cidadão. No livro *O Brasil sem miséria*, Tereza Campello, Tiago Falcão e Patrícia Vieira da Costa, reconhecendo a complexidade das desigualdades no nosso país, afirmam: "A Constituição Federal de 1988 foi um importante avanço nesse sentido, constituindo-se como promessa de afirmação e extensão dos direitos sociais em nosso país, do que é exemplo a garantia do direito à educação, à alimentação e à saúde a todos os brasileiros com igualdade de condições" (Campello, Falcão & Costa, 2014).

Por outro lado, os autores lembram que a nossa Carta Magna, por mais progressista que seja, não dá conta das enormes desigualdades e da falta de recursos de uma parcela considerável da população. Nesse sentido, falar em "universalização" parece uma utopia. Para alcançá-la de verdade, Campello, Falcão e Costa dizem que é preciso praticar a intersetorialidade — isto é, encontrar aproximações entre as diferentes políticas sociais, buscando um efeito de rede. Em outras palavras, não existe uma solução mágica e simples; o que deveríamos buscar são ações diversas, bem pensadas e que, juntas, possam reduzir a pobreza e a desigualdade e promover mais oportunidades para todos os brasileiros.

O Programa Mulheres Mil, por exemplo, que busca a elevação da escolaridade e a capacitação profissional de brasileiras em situação de vulnerabilidade social, impactaria mais gente se o acesso a creches fosse ampliado, já que muitas mulheres não têm com quem deixar os filhos. O Programa de Assistência Técnica e Extensão Rural teria maiores chances de sucesso se houvesse ações de fomento às atividades rurais associadas. Por sua vez, para estimular a pequena produção rural, é fundamental ter água, que pode ser garantida pelas cisternas do Programa Água para Todos.

As políticas de benefícios ao cidadão ajudam a reforçar a garantia de sobrevivência para aqueles mais vulneráveis, como o Bolsa Família, o Benefício de Prestação Continuada e o Programa de Erradicação do Trabalho Infantil, por exemplo. Esses últimos são recursos financeiros transferidos diretamente da União para o cidadão que participa desses programas sociais específicos. Assim, as pessoas inscritas nesses programas recebem diretamente valores monetários periódicos.

O Bolsa Família é uma espécie de precursor do salário para o trabalho doméstico, pois ele combate a pobreza e a falta de acesso à saúde e educação com foco na mulher. Embora o programa não tenha sido desenhado especificamente para promover a equidade de gênero — inclusive, ele pode ser criticado por reforçar a naturalização da mãe como responsável pelas tarefas domésticas e de cuidados, ao priorizá-las como receptoras do benefício —, a maior parte dos estudos mostra que as mulheres foram, sim, fortalecidas em sua autonomia e status familiar pelo programa. Para citar as especialistas em políticas públicas Letícia Bartholo, Luana Passos e Natália Fontoura (2019), essa autonomia se dá por dois caminhos:

> Em primeiro lugar, e principalmente, por meio da renda regular, que faz com que as titulares possam ter outras preocupações que não a sobrevivência no dia de amanhã, diminuam o isolamento social, aumentem sua presença no mundo público e percebam ampliações em suas escolhas. Em segundo lugar, pelas condicionalidades, as quais, paradoxalmente, embora reforcem simbolicamente o papel maternal da mulher, parecem estar contribuindo para que se enxerguem como detentoras de direitos e deveres, como cidadãs que se relacionam com o Estado, independentemente da mediação masculina.

Outra política pública que beneficia as mulheres brasileiras é o tempo menor de contribuição para ter direito à aposentadoria. Levando em consideração que elas trabalham mais que os homens, uma vez que elas agregam o trabalho doméstico ao emprego remunerado, essa seria uma forma de recompensá-las pelo tempo dedicado a esse trabalho. De acordo com a *Síntese de indicadores sociais: uma análise das condições de vida da população brasileira*, estudo publicado pelo IBGE em 2021, elas trabalham cerca de cinco horas a mais que eles por semana — e ganham cerca de 30% menos, uma vez que trabalham cerca de seis horas a menos por semana que os homens em sua ocupação remunerada. Por outro lado, como dedicam duas vezes mais tempo que os homens para as atividades domésticas, o total de horas trabalhadas pelas mulheres é de, em média, 55,1 horas por semana, contra 50,1 horas deles. Ainda segundo a pesquisa, na última década os homens assumiram os afazeres domésticos por apenas dez horas semanais — o que prova que aqui pouca coisa progrediu e que, apesar dos avanços das mulheres no mundo corporativo, ainda sobra para elas o cuidado da casa e dos filhos. Até que os homens passem a dividir o trabalho doméstico não remunerado com as mulheres de forma igualitária, faz total sentido que as brasileiras tenham direito de se aposentar antes deles.

Previsto na Lei Orgânica da Assistência Social, o Benefício de Prestação Continuada garante um salário mínimo por mês ao idoso com idade igual ou superior a 65 anos e à pessoa com deficiência de qualquer idade que não recebam nenhum outro benefício do Estado, como aposentadoria ou pensão, ou que não tenham nenhuma fonte de renda. No caso da pessoa com deficiência, essa condição tem de ser capaz de lhe causar impedimentos de natureza física, mental, intelectual ou sensorial de longo prazo (com efeitos por pelo menos dois anos), que a impossibilite de participar de forma plena na sociedade, em igualdade de condições com as demais pessoas. Para ter direito ao Benefício de Prestação Continuada é necessário que a renda por pessoa do grupo familiar seja igual ou menor que 25% do salário mínimo. O beneficiário, assim como sua família, deve estar inscrito no Cadastro Único. Isso deve ser feito antes mesmo de o benefício ser solicitado. É importante frisar que o Benefício de Prestação Continuada não é aposentadoria; para ter direito a ele, não é preciso ter contribuído com a Previdência Social. Diferentemente dos benefícios previdenciários, o benefício não paga 13º salário e não deixa pensão por morte. O Benefício de Prestação Continuada contribui para a causa da valorização do trabalho reprodutivo, pois a função de cuidar dos idosos também entra nesse guarda-chuva e, na maioria dos casos, recai sobre as mulheres. Além de terem de criar os filhos e cuidar do lar, são elas que costumam absorver as tarefas de zelar por membros idosos ou pessoas com deficiência, da família ou da comunidade.

Além dos programas que estão ativos no Brasil, há diversas outras iniciativas ao redor do mundo que visam reduzir ou redistribuir as tarefas de cuidado. Apresento algumas que me parecem promissoras e merecedoras de consideração:

Licença parental compartilhada. A lei brasileira atualmente prevê licença remunerada de 120 dias para mães e cinco dias para pais de recém-nascidos, podendo ser 180 dias ou 20 dias, respectivamente, para servidores públicos e funcionários de companhias adeptas ao Programa Empresa Cidadã. Essa discrepância entre o tempo de licença das mães e dos pais reforça a ideia de que o cuidador primário é a mulher, com o homem em um longínquo segundo lugar — afinal, ele recebe menos de 10% do tempo para ficar com o bebê, de acordo com a legislação. Mas o efeito da atual forma como entendemos a licença para novos pais não é apenas "simbólico"; a realidade é que mulheres consideradas "em idade fértil" sofrem mais discriminação no mercado de trabalho, porque alguns empregadores temem o impacto que isso terá na produtividade caso elas engravidem e precisem ficar 120 dias em casa.

A licença parental seria uma forma de trazer mais equilíbrio tanto aos cuidados das crianças (bebês ou filhos mais velhos, já que ela contempla também a parentalidade por adoção) quanto ao problema do preconceito de contratar ou promover mulheres. Nesse modelo, o tempo é compartilhado entre os dois cuidadores primários da criança, geralmente pai e mãe, mas contemplando todos os arranjos familiares, inclusive mães e pais solo (que podem buscar apoio em outro adulto da família, ou não, para compartilhar as tarefas de cuidado). Em alguns países, pai e mãe escolhem como querem compartilhar a licença, mas os países que viram melhores resultados em relação à participação paterna nos cuidados com o bebê determinam que uma parte da licença é intransferível — ou seja, se o homem não tirar esses dias, a licença se perde (Addati, Cassirer & Gilchrist, 2014). Na Noruega, por exemplo, os genitores têm direito a 48 semanas de licença, e tanto a mulher quanto o homem têm uma cota intransferível.

Redução da jornada de trabalho. A atual de trabalho é uma norma cultural estabelecida há mais de cem anos, numa época muito diferente da que vivemos hoje. Quem acha que a jornada de trabalho de 44 horas semanais, como a que temos no Brasil, é baseada em fatos científicos precisa saber que ela foi conquistada com muito suor, sangue e luta. No final do século XIX, no Reino Unido, operários cumpriam uma jornada de dezoito horas diárias, o que acarretava em horripilantes acidentes de trabalho. O tempo de trabalho diário atual, de oito horas, foi estabelecido no dia 1º de maio de 1886, nos Estados Unidos, após intensas manifestações e confrontos: muita gente foi morta para que pudéssemos trabalhar das nove às seis e descansar aos fins de semana. Mesmo assim, a implementação dessa jornada ocorreu apenas no começo do século XX. Uma das pioneiras do expediente de oito horas foi a Ford, em 1914. Para a surpresa de muitos, a produtividade permaneceu estável e a margem de lucro aumentou, estimulando outras companhias a adotarem o mesmo padrão.[82]

Apesar dos enormes avanços tecnológicos que possibilitaram ganhos em produtividade inimagináveis no início do século XX, seguimos trabalhando o mesmo número de horas — ou mais, se considerarmos as interações que temos fora do expediente, pelo celular. Por motivos diversos, incluindo redução de impacto ambiental e aumento do bem-estar dos funcionários, gente do mundo todo pressiona por novas formas de organizar o tempo, seja com uma semana de trabalho de quatro dias, seja com uma jornada de seis horas diárias. Na mesma linha de raciocínio capitalista que motivou a Ford no século passado, empresas como a Microsoft e a Unilever experimentaram jornadas reduzidas no Japão e na Nova Zelândia em 2019 e 2021, respectivamente, com bons resultados. Outras companhias ao redor do mundo devem testar o modelo com o apoio da organização sem fins lucrativos 4 Day Week Global.[83]

Uma política de redução de jornada — sem prejuízo de salário, claro — seria uma solução simples para dar às pessoas mais tempo livre do trabalho produtivo feito fora de casa, sobrando mais tempo para o lazer, o cuidado pessoal e o trabalho doméstico. A semana mais curta, sobretudo se puder ser flexibilizada, também poderia promover uma redistribuição mais equilibrada das tarefas domésticas e de cuidados. Não há comunidade humana que consiga prosperar no longo prazo sem que homens e mulheres se articulem

---

[82] "Luta dos trabalhadores resultou em menor duração da jornada", *Senado Notícias*, 25 fev. 2014.
[83] "The New Zealander trying to revolutionise the working week: 'It's a rational business decision'", *The Guardian*, 11 mar. 2022.

para preservar o tecido social e o tecido ecológico. Para isso, é preciso tempo. Unido, o povo ganha força, e claramente não é isso que o poder político e econômico quer. Mais um motivo para pressionarmos pela redução da jornada de trabalho também no século XXI.

Renda básica universal. A renda básica universal prevê que o Estado destine o pagamento de um valor fixo mensal para todos os cidadãos do país, independentemente de condição socioeconômica, gênero ou idade, e sem condições ou contrapartidas, como outros programas de transferência de renda. O intuito dessa proposta é dar certo grau de conforto financeiro para que as pessoas possam ter mais liberdade na hora de escolher uma profissão, sobretudo numa realidade em que a automatização está eliminando muitos empregos.

No sistema capitalista em que vivemos, desde que nascemos estamos condenados a trabalhar para sobreviver. Desde pequenos batemos ponto na escola, assim como um operário, gerente de banco, servidor público etc. Fazemos isso em nome da necessidade de absorver conhecimentos que são imprescindíveis para a manutenção do capitalismo. Em menos de vinte anos transformamos esse conhecimento em serviços, bens e mercadorias. Para nos manter nesse mundo, precisamos trabalhar (a não ser que a pessoa seja herdeira ou tenha patrimônio suficiente investido para viver de renda, o que é uma realidade para menos de 1% da população). Nesse sentido, a renda básica universal traria certa liberdade para escolher o que fazer, o que produzir e quanto produzir — uma liberdade que poucos têm hoje em dia.

Um dos maiores objetivos deste livro é reconhecer a importância e o valor do trabalho doméstico para a sociedade e entender como a desigualdade e a sobrecarga, causadas pela forma como esse trabalho está estruturado hoje em dia, têm efeitos profundos sobre as pessoas que se dedicam a ele (principalmente as mulheres pobres, migrantes e racializadas) e sobre toda a coletividade, desde o nível mais individual, que é a nossa saúde, ao mais coletivo, que é a saúde do nosso planeta. Passados cem anos da primeira onda feminista, que garantiu direitos básicos, como o voto às mulheres, e mais de cinquenta anos da segunda onda, que viu campos de trabalho valorizados e tradicionalmente masculinos serem conquistados pelo "segundo sexo", é hora de reivindicar mudanças profundas na forma com avaliamos e consideramos o trabalho reprodutivo. Isso significa eliminar o resquício escravista, valorizar o ato de cozinhar (e todos os outros atos de cuidado), promover políticas públicas que facilitem mudanças efetivas — inclusive, no futuro, estabelecer uma forma de remunerar esse trabalho diretamente — e rejeitar qualquer discurso que naturalize o trabalho doméstico como feminino e subalterno. No próximo capítulo, faremos uma exploração mais profunda da ligação entre a exploração das mulheres e da mãe natureza.

CAPÍTULO 4

A exploração da generosidade feminina

~~~

Eu adoro como muitos acontecimentos na minha vida, depois de um tempo, acabaram se revelando imprescindíveis para que eu pudesse ter chegado até aqui. Na hora em que estou vivendo, não dá para perceber. Mas basta olhar para trás para entender que, claro, faz todo o sentido! É como se o destino estivesse sendo escrito ali na minha frente e eu só conseguisse enxergar depois. Foi assim em 2018, quando decidi fazer um mestrado na faculdade de ciências gastronômicas ligada ao movimento slow food, na Itália. A universidade fica na região de Cuneo, no Piemonte, norte do país, numa cidadezinha chamada Pollenzo. A maior parte dos estudantes mora em outra cidade, Bra, com trinta mil habitantes, a poucos quilômetros da universidade. Foi em Bra que também escolhemos morar nesse período, meu marido, meus filhos e eu.

Quando contei para minha mãe que faria um mestrado nessa parte da Itália, ela se mostrou muito surpresa. E logo apontou a coincidência: "Cuneo é a região de origem do meu avô por parte de pai". Ou seja, minha bisavó tinha nascido lá. Achei simbólico. Antes da viagem, estava em São Paulo a trabalho, e depois de um dia de gravação marquei uma massagem terapêutica. No final da massagem, fui aconselhada a fazer uma sessão de terapia para que eu pudesse entender melhor essa minha decisão de estudar na Itália, pois já intuía que não tinha sido por acaso. Saí da terapia com o entendimento de que estava atendendo a um chamado para me reconectar com o meu feminino. Também achei simbólico.

Como já contei nas páginas anteriores deste livro, o tempo que passei na Itália, estudando, cuidando da casa e da família e lendo bastante, realmente me fez entrar em contato com esse lado feminino — e feminista — que até então andava um pouco adormecido em mim. Quando precisei escolher um tema para a dissertação de mestrado, quis escrever sobre o ato de cozinhar e se alimentar bem e suas relações com o trabalho doméstico não remunerado. Foi assim que conheci os escritos de Silvia Federici.

Mergulhei em seus livros, começando por *O ponto zero da revolução*, que fez parte da bibliografia da minha dissertação, assim como alguns dos seus artigos e entrevistas. O segundo livro foi *Calibã e a bruxa*, que li só depois do mestrado, já de volta ao Brasil. Por meio dele, deparei pela primeira vez com a história da caça às bruxas narrada e analisada por uma mulher. Curiosa, fui pesquisar mais sobre esse genocídio perverso e descobri que um dos primeiros julgamentos de bruxas na Itália ocorreu em 1477. Sabe onde? Em Cuneo! Essa trajetória pessoal me ajudou a ligar os pontos e entender a origem da opressão contra o que é feminino e natural.

Em setembro de 2019, retomando a agenda de palestras, acabei participando de um debate com a professora Larissa Bombardi, que, além de amiga, se tornou uma inspiração nessa jornada de combate ao uso abusivo de agrotóxicos no Brasil. Ao tomar o microfone, Larissa abordou o tema da generosidade feminina e de sua apropriação pelo sistema capitalista através da mercantilização das esferas mais sagradas do feminino. E fez uma linda reflexão a partir da palavra "terra", lembrando que, em alguns idiomas latinos, como português, italiano e francês, o termo é usado para se referir tanto ao planeta como ao solo. Portanto, é na versão feminina que o substantivo traduz essa dupla identidade: a terra enquanto húmus, reprodução da vida e lócus da existência humana.

Numa perspectiva arquetípica,[84] a humanidade (húmus) fecunda a terra com o trabalho, através da agricultura. As mulheres, por conseguinte, são portadoras da vida, não só porque dão à luz — outra expressão muito metafórica, pois a terra também dá à luz quando a semente brota em busca dos raios do sol — mas também porque são elas que alimentam, com o próprio corpo, os seus filhos, durante a gestação, na placenta, e depois por meio da amamentação, assim como o planeta alimenta todos os seus filhos em suas mais diversas formas, e com generosidade. O alimento, portanto, sempre traz a perspectiva da condição humana e da conexão com a Terra. E traz também a esfera do feminino, ou do princípio arquetípico feminino.

Daí que a reflexão sobre o alimento conduza, inevitavelmente, à reflexão sobre o princípio arquetípico feminino, que se complementa com o masculino: o princípio masculino, voltado para fora, para o externo; e o feminino, ao contrário, em um movimento interno. O homem, o camponês, tradicionalmente enfrenta os perigos lá de fora: o trabalho no campo, a semeadura, os animais peçonhentos e os mistérios da mata. E a mulher lida com os mistérios aqui de dentro: um corpo que sangra ciclicamente, o parto, e, na perspectiva do trabalho, o cuidado e a alimentação da família, o roçado, a criação de pequenos animais. O trabalho da família camponesa é um trabalho em que os princípios arquetípicos masculino

---

[84] O arquétipo é um conceito da psicologia analítica cunhado por Carl Gustav Jung para definir o conjunto de determinadas formas na psique humana, presentes em todo tempo e em todo lugar, e que compõem o conhecimento e o imaginário do inconsciente coletivo.

e feminino se complementam, fecundando, assim, a terra. E a enriquecendo.

Entretanto, na perspectiva atual de mundialização da agricultura, de avanço dos cultivos voltados ao mercado internacional, a terra — que tem esse princípio feminino de portar a vida, de dar à luz — está sendo arquetipicamente masculinizada, o que é muito diferente de estar sendo fecundada. Ao ser fecundada, com o cultivo de alimentos, ela (a Terra ou a terra) dá à luz; a sua masculinização ocorre na medida em que o alimento, nesse mecanismo de reprodução ampliada do capital, se transforma diretamente em commodity — e em commodity para a produção de outras commodities, ao se tornar ração animal, por exemplo, ou ao ser destinado à geração de energia.

Quando o alimento (o princípio feminino por excelência) se degenera em mercadoria destituída de qualquer sentido sociocultural — ou, como diriam os economistas, de seu valor de uso —, estamos diante de um amplo processo de esterilização da terra. Vivenciamos na atualidade um momento ímpar de expansão dos cultivos capitalistas, expressos pelas commodities. Nesse sentido, a terra, que é um bem comum, atende à demanda do capital, não à demanda dos seres humanos. Portanto, numa interpretação arquetípica desse processo, temos a masculinização da terra, que a deixa estéril. No caminho oposto, conservando a fertilidade do solo e a fecundação, está a agricultura camponesa, indígena e quilombola — e a resistência desses povos — no Brasil, assim como as mais diversas práticas tradicionais mundo afora.

Nunca é demais esclarecer que o arquétipo feminino não deve necessariamente ser vinculado à mulher, nem o masculino ao homem. Os arquétipos feminino e masculino são diferentes da discussão de gênero, embora não sejam excludentes. Os trabalhos de cuidado e da reprodução da vida precisam e devem ser tarefa de todos os sexos e gêneros.

A reflexão da Larissa Bombardi — e, principalmente, a expressão que ela usou, "apropriação da generosidade feminina" — funcionou, para mim, como uma síntese do pensamento ecofeminista. Foi a frase necessária para que eu pudesse relacionar os trabalhos de duas das minhas grandes referências feministas do século XXI: a já citada Silvia Federici, italiana, e Vandana Shiva, indiana. Vandana fala muito sobre a exploração da natureza (e da mulher); Silvia, da exploração da mulher (e da natureza); e ambas denunciam a metodologia do sistema para acumular capital à custa da generosidade feminina.

Em *O ponto zero da revolução*, Silvia Federici (2019, p. 40) escreveu uma frase certeira, que virou uma espécie de palavra de ordem e acabou, inclusive, sendo pixada por militantes feministas em muros de diversas cidades da América Latina: "Eles dizem que é amor. Nós dizemos que é trabalho não remunerado". Nós, mulheres, somos vistas como doadoras do nosso tempo e do nosso trabalho em nome do afeto que sentimos pelos filhos, pelo marido e por outros familiares, afeto que nos faz assumir os cuidados da criança, cozinhar, limpar, lavar e passar, entre muitas outras funções domésticas — inclusive na cama: "Sexo é trabalho para nós, é um dever. O dever de agradar é tão construído em nossa sexualidade que aprendemos a ter prazer em dar prazer, em provocar os homens e excitá-los" (Federici, 2019, p. 56).

Eu amo cuidar dos meus filhos e arrumar a minha casa. Porém eu ficaria extremamente feliz se esse trabalho fosse reconhecido e valorizado — não apenas para mim, mas para todo mundo. Sou uma entusiasta do cuidado, da partilha e da troca. É meu objetivo trocar cada vez mais por meio do que Vandana Shiva chama de "moeda da vida". Com a expansão da visão mecanicista do mundo ocidental, a natureza se reduziu a um ativo, a uma mercadoria — o que, segundo a pensadora e ativista indiana, está na raiz da catástrofe ecológica e da crise existencial que enfrentamos: "A moeda da vida é a vida, não o dinheiro. Comida é moeda da vida. Água é moeda da vida. Respiração é moeda da vida. Energia viva é moeda da vida. Cuidado é moeda da vida. As diversas moedas da vida fortalecem a infraestrutura da vida para que todas as vidas possam prosperar".[85]

Viver cuidando e sustentando a minha vida particular, a dos comuns e a do coletivo é um luxo só. Contudo, paralelamente a esse caminho do cuidado pelo cuidado e do cuidado pela vida, sinto que ainda precisamos batalhar para tornar o cuidado, em suas mais variadas formas, um ato possível e passível para mais gente, para toda a gente. Ao mesmo tempo que o sistema joga sobre nossas costas o peso do trabalho de cuidado, sobretudo o doméstico, ele também age para dificultar ou até mesmo inviabilizar a realização desse trabalho. Um dos maiores exemplos disso é a amamentação.

Amamentar é um ato maravilhoso para o desenvolvimento e a saúde dos bebês — e também um dos trabalhos mais extenuantes que existem, mesmo não sendo reconhecido como tal. Uma mulher que consegue seguir as recomendações da Organização Mundial da Saúde (OMS) e proporcionar amamentação exclusiva nos primeiros seis meses de vida de seu bebê, pelo menos, dedica a essa atividade em média 720 horas, distribuídas entre o dia e a noite, faça chuva ou faça sol. A falta de reconhecimento político e social faz com que muitas vezes algo tão natural e elementar como a amamentação se torne um privilégio inatingível para boa parte

---

[85] "Mother Earth is not for sale", Navdanya International, 20 abr. 2022.

das mães — como acontece no Brasil, por exemplo, onde a licença maternidade é de apenas quatro meses.[86] Outras barreiras são a falta de estrutura ou reconhecimento da importância desse ato na maior parte das empresas, além do machismo estrutural que cria homens que incrivelmente impedem suas parceiras de amamentar o próprio filho.

O tempo e o trabalho — e até mesmo o leite — são roubados de nós, mães. Como disse meu amigo e psicólogo Alexandre Coimbra Amaral numa entrevista para o *Canal da Bela* no YouTube, em 2020, "a mulher que decide amamentar está virando as costas para o capitalismo, e por isso esse ato não é valorizado na nossa sociedade". A força de trabalho — produzida e reproduzida pelas mulheres — é um dos maiores bens do sistema socioeconômico que vivemos. Somos nós, na maior parte dos casos, que cuidamos, alimentamos, levamos para a escola e damos banho nas crianças, nas nossas ou nas da patroa. E fazemos isso há muitos e muitos anos, sem receber o devido reconhecimento, valor ou apoio.

Dentro da lógica capitalista, existe uma grande apropriação da generosidade feminina. Por outro lado, existe um pseudorromantismo na escolha do verbo "dar" para explicar o que faz a mulher que consente no sexo, que pare ou amamenta; o mesmo acontece com a mãe terra, que dá frutos: a mulher dá, a terra dá... O jornalista Ivan Martins acha "bonito que numa sociedade machista e historicamente repressora como a nossa tenhamos escolhido este verbo delicado para explicar o que faz a mulher que consente no sexo", e continua: "dar indica um ato autônomo de vontade. Quem dá não é roubado, quem dá não é forçado, quem dá escolhe dar.

---

[86] "Condições de trabalho impedem amamentação exclusiva até o sexto mês", *Folha de S. Paulo*, 18 ago. 2022.

Oferece ou atende a um pedido. [...] Entrega algo que é dela. Entrega-se. [...] Quem dá, afinal, não vende nem troca".[87] Porém, os dados da realidade mostram que as mulheres são exploradas, estupradas, violentadas e assassinadas diariamente neste país machista e historicamente repressor,[88] o que também acontece com a natureza.

Não é mera coincidência que a noção de que a terra brasileira "tudo dá" tenha nascido da pluma do português Pero Vaz de Caminha, que desembarcou nestas paragens como membro da comitiva colonizadora de Pedro Álvares Cabral. Em carta endereçada ao rei de Portugal, D. Manuel I, em 1500, ele diz: "a terra em si é de muito bons ares [...]. E em tal maneira é graciosa que, querendo-a aproveitar, dar-se-á nela tudo, por bem das águas que tem". No mesmo texto em que encorajou o monarca lusitano explorar o solo da nova colônia, Caminha recomendou a submissão — disfarçada de "salvação" — dos povos indígenas: "o melhor fruto, que nela se pode fazer, me parece que será salvar esta gente. E esta deve ser a principal semente que Vossa Alteza em ela deve lançar".

A exploração da terra e do Outro — seja ele o indígena, a mulher, o negro, o pobre — nasceu junto com esta nação. E não é fácil romper com valores que vêm de tão longe, que tão enraizados estão em nossa cultura, e que foram impostos a ferro e fogo ao longo de séculos contra toda tentativa de dissidência.[89] Contudo, essa é uma tarefa

---

[87] "Dar é um verbo bonito", *Época*, 23 out. 2013.
[88] "Brasil teve um estupro a cada dez minutos e um feminicídio a cada sete horas em 2021", *G1*, 7 mar. 2022.
[89] Frantz Fanon pensou sobre a construção do negro e do indígena como Outros. O Outro é aquele em que não me vejo e não me reconheço. A falta de reconhecimento de si (no caso, das populações colonizadas), negado pelo Outro, formou as bases fundamentais da

urgente e necessária para que as mulheres e a natureza — bem como os trabalhos essenciais que realizam — deixem de ser vistas como objeto à disposição do que a feminista negra estadunidense bell hooks chama de patriarcado supremacista branco capitalista imperialista. Precisamos parar de "dar" e começar a receber. E o primeiro passo dessa longa e difícil caminhada é reivindicar políticas públicas que deem suporte ao cuidado, para que sejamos vistas, valorizadas e também cuidadas.

A perspectiva eurocêntrica e patriarcal sobre o trabalho de cuidado feito pelas mulheres é completamente funcional à ampliação do sistema capitalista. Caso continue sendo visto como uma grande expressão da generosidade feminina — ou como uma obrigação intrínseca à mulher —, o cuidado jamais será considerado um trabalho. Essa visão é a responsável pela culpa que muitas de nós sentimos quando pensamos que a nossa dedicação em cuidar da casa, da família e dos filhos merece ser valorizada e remunerada. A nossa generosidade sempre foi enaltecida para que ficássemos satisfeitas em servir, e orgulhosas da nossa doação. Mas todo o universo feminino sente na pele e na mente o fardo de carregar essa culpa. Devemos entender que esse papel social é uma construção política — e que começou a ser imposto a nós há muito tempo, da mesma forma que a noção da terra como mãe nutridora foi gradualmente desaparecendo como imagem dominante,

~~~

colonização, da escravização e do racismo, segundo o autor. Dessa falta de reconhecimento, surge a impossibilidade da alteridade: "A zona habitada pelos colonizados não é complementar da zona habitada pelos colonos. Essas duas zonas opõem-se, mas não ao serviço de uma unidade superior. Regidas por uma lógica puramente aristotélica, obedecem ao princípio da exclusão recíproca: não há conciliação possível, um dos termos é demais" (Fanon, 1968, p. 28).

à medida que a ciência moderna, a partir do século XV, passou a mecanizar e racionalizar a visão de mundo ocidental.

A ideia de natureza como desordem evocou um importante conceito moderno: o do poder do homem sobre a natureza. Duas novas fronteiras de dominação — a natureza e a mulher — tornaram-se conceitos centrais, na esteira dos ideais dos "pais fundadores" das ciências naturais e políticas, como Francis Bacon, René Descartes, Thomas Hobbes e Isaac Newton, que acabariam desembocando no capitalismo.

De acordo com Alberto Acosta (2016, p. 69-70),

> Para cristalizar o processo expansionista, a Europa consolidou uma visão que colocou o ser humano figurativamente falando por fora da Natureza. Definiu-se a Natureza sem considerar a Humanidade como sua parte integral, desconhecendo que os seres humanos também somos Natureza. Com isso, abriu-se o caminho para dominá-la e manipulá-la.
>
> Francis Bacon (1561-1626), célebre filósofo renascentista, resumiu esta ansiedade em uma frase, cujas consequências vivemos na atualidade, ao reivindicar que "a ciência torture a Natureza assim como faziam os inquisidores do Santo Ofício com seus réus, para conseguir revelar até o último de seus segredos".
>
> Não foi apenas Bacon. Também René Descartes (1596-1650), um dos pilares do racionalismo europeu, considerava que o universo é uma grande máquina submetida a leis. Tudo acabava reduzido a matéria e movimento. Com esta metáfora, ele [...] dizia que o ser humano deve converter-se em dono e possuidor da Natureza.

Essa tradição precisa ser urgentemente compreendida e reavaliada, em benefício de "outras opções, filosofias alternativas e grupos sociais moldados pela visão de mundo orgânica e resistentes à crescente mentalidade exploradora", como define Carolyn Merchant (1990, p. xxi).[90]

Na esteira das proposições de Vandana Shiva, citadas anteriormente, um dos caminhos é reconhecer e valorizar o que de fato sustenta a vida. No prefácio ao livro *A queda do céu: palavras de um xamã yanomami*, de Davi Kopenawa e Bruce Albert, o antropólogo Eduardo Viveiros de Castro (2015, p. 15) escreve: "temos a obrigação de levar absolutamente a sério o que dizem os índios pela voz de Davi Kopenawa — os índios e todos os demais povos 'menores' do planeta, as minorias extranacionais que ainda resistem à total dissolução pelo liquidificador modernizante do Ocidente".

Ou seja, está na hora — na verdade, já passou da hora — de dar voz àqueles que vivem e convivem fora da lógica capitalista, que reconhecem o valor, conservam e comungam dos comuns, da moeda da vida.

Surgimento do trabalho assalariado e caça às bruxas

Por meio dos cercamentos, as terras na Inglaterra, até então de uso comum, passaram a ser propriedade privada. Essa prática teve início ainda no século XII, mas intensificou-se no XVI. Inicialmente, nesse período de acumulação primitiva

---

[90] A construção da ciência moderna passou a ser problematizada, sobretudo a partir da década de 1970, por pensadoras feministas que apontam os traços masculinistas de sua produção, os quais se correspondem com o capitalismo, com o colonialismo e com o militarismo. Ver, por exemplo, Haraway (2009) e Hubbard (1993).

(época em que as elites abriram novas fronteiras de exploração por meio das quais pudessem enriquecer à medida que empobreciam a maioria da população e destruíam o meio ambiente), os camponeses expulsos da terra não aceitaram trabalhar em troca de um "salário", e muitos acabaram se tornando mendigos, vagabundos e criminosos. Foi necessário um longo e violento processo para produzir uma mão de obra disciplinada, que aceitasse essa nova condição.

Como escreve Silvia Federici (2017, p. 245) em *Calibã e a bruxa*, "durante os séculos XVI e XVII, o ódio contra o trabalho assalariado era tão intenso que muitos proletários preferiam se arriscar a terminar na forca a se subordinarem às novas condições de trabalho". Segundo a autora,

> A imagem de um trabalhador que vende livremente seu trabalho, ou que entende seu corpo como um capital que deva ser entregue a quem oferecer o melhor preço, se refere a uma classe trabalhadora já moldada pela disciplina do trabalho capitalista. Contudo, é apenas na segunda metade do século XIX que se pode vislumbrar um trabalhador como este — moderado, prudente, responsável, orgulhoso de possuir um relógio [...] e que considera as condições impostas pelo modo de produção capitalista como "leis da natureza" —, um tipo que personifica a utopia capitalista. (Federici, 2017, p. 244)

Nesse sentido, a filosofia mecanicista de Bacon e Descartes, entre outros, contribuiu para incrementar o controle da classe dominante sobre o mundo natural, o que constitui o primeiro — e mais importante — passo no controle sobre os seres humanos. Assim como a natureza, ao ser reduzida a uma "Grande Máquina", pôde ser conquistada, o corpo, esvaziado de suas forças ocultas, pôde ser apropriado para a regularidade e para o automatismo exigido pela disciplina do trabalho capitalista. Reduzir não só a natureza mas também o corpo à ideia de máquina foi uma estratégia bem-sucedida para domesticar e subordinar o trabalhador aos comportamentos uniformes e previsíveis exigidos pelo trabalho assalariado.[91]

O trabalho viria a se tornar a condição e o motivo de existência do corpo, e para isso seria necessário transformar todos os poderes corporais em força de trabalho. Portanto, a especulação filosófica e religiosa dos séculos XVI e XVII colocava o corpo humano em evidência, para assim conseguir lapidar e escolher quais de suas propriedades poderiam ser mantidas (corpo-máquina) e quais deveriam desaparecer (corpo-espírito). De acordo com Federici (2017, p. 257-9),

> o corpo mecânico, o corpo-máquina, não poderia ter se convertido em modelo de comportamento social sem a destruição, por parte do Estado, de uma ampla gama de crenças pré-capitalistas, práticas e sujeitos sociais cuja existência contradizia

---

[91] A transformação da cultura e do corpo do trabalhador para que se tornassem aptos à disciplina do trabalho foi fruto de um processo histórico fundamental para o desenvolvimento do capitalismo. Em relação à lógica do capitalismo industrial, principalmente a partir do século XVIII, a divisão de trabalho, a supervisão, as multas, os sinos, relógios, incentivos em dinheiro, pregações e ensinos, a supressão das feiras e dos esportes foram parte das estratégias lançadas pela classe dos donos dos meios de produção e dos estadistas para que houvesse essa transformação. No âmbito individual, também é possível traçar historicamente como um processo de "civilização" passou a fazer parte dos corpos que integravam o Estado-nação e ocupações de trabalho específicas: a mudança "civilizadora" do comportamento envolveu a mudança das emoções espontâneas, o controle dos sentimentos e a ampliação do espaço mental para além do presente vivido, levando em conta passado e futuro. Ver Thompson (1998) e Elias (1993).

> a regulação do comportamento corporal prometido pela filosofia mecanicista. [...]
>
> Assim é como devemos ler o ataque contra a bruxaria e contra a visão mágica do mundo que, apesar dos esforços da Igreja, seguia predominante em escala popular durante a Idade Média. O substrato mágico formava parte de uma concepção animista da natureza que não admitia nenhuma separação entre a matéria e o espírito, e deste modo imaginava o cosmos como um organismo vivo, povoado de forças ocultas, onde cada elemento estava em relação "favorável" com o resto. [...]
>
> A erradicação destas práticas era uma condição necessária para a racionalização capitalista do trabalho, dado que a magia aparecia como uma forma ilícita de poder e como um instrumento para obter o desejado sem trabalhar — quer dizer, aparecia como a prática de uma forma de rechaço ao trabalho.

Não à toa, continua Federici, a caça às bruxas foi contemporânea não só aos cercamentos ingleses como também ao processo de colonização e extermínio das populações do Novo Mundo e ao início do tráfico de escravizados, chegando a seu ponto culminante no interregno entre o fim do feudalismo e a "guinada" capitalista. "A caça às bruxas aprofundou a divisão entre mulheres e homens, inculcou nos homens o medo do poder das mulheres e destruiu um universo de práticas, crenças e sujeitos sociais cuja existência era incompatível com a disciplina do trabalho capitalista, redefinindo assim os principais elementos da reprodução social" (Federici, 2017, p. 294).

Mas por que esse ataque às mulheres? As mulheres, com uma conexão mais forte ao feminino, se conectam com a natureza e se enxergam como retrato dessa natureza, entendendo que os ciclos da natureza também vão operar dentro dela. Ali havia uma perseguição de mulheres por seus costumes, por seus hábitos, uma tentativa de controle do corpo feminino. A mulher, portanto, foi se tornando o símbolo da ameaça, o elemento desestabilizador da paz e do progresso capitalista. Essa demonização da imagem da mulher é ainda mais antiga no imaginário ocidental. Eva, Medusa, Pandora e Perséfone, por exemplo, são figuras femininas antigas que foram interpretadas como a personificação do mal e da destruição. Mas foi apenas durante a caça às bruxas que multidões de mulheres passaram a ser sistematicamente julgadas, torturadas e assassinadas.

A caça às bruxas, em sentido literal ou metafórico, se perpetua até hoje em vários lugares do mundo — inclusive no Brasil, com o extermínio dos povos originários, o enfraquecimento da agricultura familiar e camponesa e o avanço do agronegócio:

> Hoje o Brasil usa em torno de 220 milhões de hectares entre pastagens e plantações. O mercado financeiro quer pelo menos mais setenta milhões de hectares. [...] Quando a gente olha para os conflitos mais recentes, para as medidas adotadas pelo governo Bolsonaro, fica claríssimo que as terras indígenas são a bola da vez para o agronegócio. [...] O Brasil é um espaço central e único para um novo ciclo de acumulação de riquezas. [...] A "caça às bruxas" é lançada sempre que o capitalismo precisa criar um novo ciclo de acumulação [...]. Esse ciclo só para em pé se forem criadas perseguições simbólicas e práticas que dividam as classes baixas e médias, que dividam os povos indígenas.[92]

O combate das parcelas mais conservadoras da sociedade brasileira às reivindicações feministas e LGBTQIA+, com representantes em todos os níveis e esferas de poder da República,

---

[92] "Calibã, o agro e as bruxas", *Prato Cheio* [podcast], 14 fev. 2022.

é uma manifestação da caça às bruxas contemporânea. Nesse caso, não apenas simbólica: basta lembrar do protesto realizado em novembro de 2017, em frente ao Sesc Pompeia, em São Paulo, onde a filósofa estadunidense Judith Butler proferiria uma conferência. Entre crucifixos e gritos de "Queimem a bruxa!", um boneco com o rosto da pensadora — uma das maiores expoentes do feminismo e da teoria *queer* — foi incendiado no meio da rua.[93] Palavras-chave como "aborto", "mamadeira de piroca", "kit gay" e "ideologia de gênero" fazem parte dessa campanha.

A perseguição às religiões de matriz africana, entre outras expressões de fé que não passem pelo cristianismo, é outra frente da caça às bruxas contemporânea com os pés bem fincados no pensamento escravocrata, materialista e capitalista de eliminar as chamadas "superstições" para tornar os homens e as mulheres mais dispostos à obediência cívica. Essa intolerância guarda estreita relação com a histórica oposição a crenças e práticas contrárias à disciplina do trabalho, como a ideia — compartilhada entre alguns povos indígenas, por exemplo — de que é possível estar simultaneamente em dois lugares. Afinal, a fixação do corpo no espaço e no tempo é uma condição essencial para a regularidade do trabalho. Quando conhecemos um pouco mais sobre as cosmovisões e o relacionamento dos povos originários com a terra, o poder da macumba, dos astros, entendemos por que a elite capitalista desejava — e continua desejando — sua extinção.

Para o povo Yanomami, os componentes que formam a pessoa podem ser divididos em corpo biológico e corpo metafísico. De acordo com a antropóloga Hanna Limulja

---

[93] "Boneco com rosto de Judith Butler é incendiado em protesto", *Veja São Paulo*, 7 nov. 2017.

(2022, p. 63), o primeiro é definido como a pele (corpo físico), o invólucro corporal, e o segundo representa os componentes psíquicos (corpo astral). Quando a pessoa dorme à noite, seu corpo fica na rede, enquanto sua imagem viaja e experimenta os eventos que podem afetar ou não o seu corpo. Essa separação entre corpo e imagem é a mesma que ocorre no momento da morte. Durante os sonhos, os Yanomami, dependendo do seu poder espiritual, percorrem as trilhas que já conhecem, frequentam comunidades próximas ou distantes, vão a lugares de pesca, caça, coleta de frutos. Mas também se deslocam por onde nunca estiveram, como florestas desconhecidas ou mesmo cidades. O deslocamento por lugares onde a pessoa nunca esteve acordada lhes permite afirmar que conhecem essas paragens por terem estado lá em sonho. "Esse é um aspecto fundamental do sonho yanomami: possibilita o acesso a experiências que de outra forma não aconteceriam durante a vigília. Assim, em seus sonhos, os Yanomami podem entrar em contato com parentes que estão distantes ou até mesmo com os mortos", escreve Limulja (2022, p. 65). Esse tipo de encontro não ocorre durante o dia, pois o dia é da matéria. Só à noite, quando o espírito se desprende do corpo, é possível entrar em contato com a imagem desses outros seres que povoam o cosmos.

Como podiam os novos empresários impor hábitos repetitivos a um proletariado ancorado na crença de que há dias de sorte e dias de azar, ou seja, dias nos quais se pode viajar e outros nos quais não se deve sair de casa, dias bons para se casar e outros nos quais qualquer iniciativa deve ser prudentemente evitada? O sonho, assim como o uso de substâncias psicotrópicas extraídas da natureza, ajuda muitos povos originários a se relacionar com o meio em que vivem, a encontrar formas de extrair alimento da floresta, de saber o melhor horário e o melhor lugar para caçar, de compreender o valor medicinal ou nocivo de alguma planta específica etc.

Em tempos recentes, fomos testemunhas de uma revalorização de práticas que, na transição do feudalismo para o capitalismo, na Europa, e durante o longo processo de colonização iniciado pelos europeus a partir do século XVI, passaram a ser condenadas por bruxaria, como a metafísica, a astrologia, a clarividência. Contudo, o renovado interesse pela magia é possível, hoje, porque elas já não representam uma ameaça social. A mecanização do corpo é a tal ponto constitutiva do indivíduo que, ao menos nos países industrializados, a crença em forças ocultas não coloca em perigo a uniformidade do comportamento social. Como escreve Silvia Federici (2017, p. 259), "até mesmo o consumidor mais assíduo de cartas astrais consultará automaticamente o relógio antes de ir para o trabalho".

Na década de 1950, nos Estados Unidos, as substâncias alucinógenas começaram a ser estudadas pelas universidades, mas acabaram pulando o muro da academia e invadindo o terreno fértil da juventude hippie. O governo sentiu que elas eram uma ameaça ao controle social e colocou limites às pesquisas, além de empenhar elevadas somas de dinheiro na repressão à produção, à venda e ao consumo dessas substâncias. Depois da retomada do controle e enxergando as possibilidades econômicas lucrativas dos psicodélicos, agora estamos voltando a estudá-los e comprovando os seus benefícios para pacientes terminais, dependentes químicos, depressivos, entre outros. O recurso à alteração de consciência obtida pelo uso de psicodélicos assume um papel importante dentro dos ideais de contestação, resistência e busca por outras formas de viver e conviver. Como escreve o neurocientista Sidarta Ribeiro, a brutalidade policial utilizada para prender e torturar os pioneiros do LSD se torna ainda mais chocante quando se constata que pesquisas publicadas nos últimos anos mostraram que as drogas psicodélicas clássicas estimulam a plasticidade do sistema nervoso, favorecendo a curiosidade e o aprendizado. "Muita energia repressiva do Estado foi dispendida no afã de proibir uma substância que promove novas sinapses e aumenta a capacidade cognitiva de quem a utiliza", lamenta (Ribeiro, 2020).

A magia, os psicodélicos, as cosmovisões dos povos tradicionais e os saberes historicamente exercidos por mulheres têm sido vistos pelas elites dominantes como incompatíveis com a disciplina do trabalho capitalista e com a exigência de controle social — e, por isso, se tornaram alvo de repressão, apagamento e desvalorização. Essa narrativa se perpetua nas falas misóginas, xenofóbicas, intolerantes e nefastas de líderes governamentais que estão mais interessados em facilitar o lucro de grandes corporações do que em cuidar do povo, o que poderia ser feito dando valor à moeda da vida, para que a vida flua melhor para todos. E, assim, a opressão patriarcal em cima da mulher e da natureza continua.

O ser humano afastado da natureza

Mecanizar o corpo, destruir o solo, envenenar a terra nos afeta diretamente. Como disse há algumas páginas, eu gosto de traçar um paralelo entre o nosso corpo e a mãe terra. O intestino é o nosso solo, onde criamos raízes e sustentamos a vida. É o que ensina meu mestre macrobiótico, Tomio Kikuchi, quando afirma que toda doença começa pelo intestino (Collen, 2016). O solo da terra é rico em microrganismos, um microcosmos de vida que chamamos de microbiota. Habitam o nosso trato intestinal, em equilíbrio, incontáveis bactérias, fungos e vírus. A importância desses seres é fundamental para a saúde da terra e do nosso corpo; eles são responsáveis pelo bom funcionamento do nosso organismo, principalmente do sistema imunológico, e atuam como barreira protetora contra microrganismos patogênicos e toxinas. A microbiota intestinal também atua como interface entre os alimentos, permite a assimilação de nutrientes, auxilia a digestão das fibras, participa da síntese de algumas vitaminas e aminoácidos e regula a absorção de ácidos graxos, cálcio e magnésio.

Do mesmo jeito que as monoculturas são violentas e agridem física e quimicamente o solo, uma dieta não diversificada, baseada em produtos que têm como base os mesmos cultivos dessas monoculturas — soja, milho, trigo, cana-de-açúcar —, também agride a nossa saúde física. Sabemos que a biodiversidade é fundamental para o bom funcionamento da natureza e para a sustentação da autorregulação ambiental. Num ambiente biodiverso, autorregulado, é muito mais difícil uma doença se propagar; já em ambientes com pouca biodiversidade — como uma monocultura, por exemplo — uma praga pode se alastrar muito mais facilmente, pois o ecossistema está desregulado, desestruturado. O nosso corpo também funciona assim. Com pouca variedade alimentar, nossa microbiota pode se desregular, e a perda de estabilidade de uma microbiota saudável conduz a uma disbiose, que por sua vez pode levar a danos inflamatórios, doenças crônico-degenerativas e distúrbios neurológicos. A disbiose também pode ser causada pela falta de fibras — principalmente de prebióticos, que são fibras insolúveis que alimentam as bactérias benéficas da nossa microbiota — e pelo consumo de substâncias tóxicas, como agrotóxicos.

A lista de doenças relacionadas ao consumo de agrotóxicos é extensa, passando por anomalias reprodutivas e de desenvolvimento, doenças do fígado, obesidade, distúrbios da tireoide, disfunções imunológicas e diversos tipos de câncer. Estudos mais recentes demonstram a relação entre a microbiota e o autismo.[94] Observou-se que crianças com autismo apresentam distúrbios gastrointestinais mais graves do que crianças neurotípicas — diferentemente destas, as autistas possuem bactérias intestinais que produzem neurotoxinas que afetam o cérebro. A importância de uma microbiota saudável para manter um organismo saudável é tão relevante que, hoje, em alguns países, como nos Estados Unidos, já se pratica a inoculação do fluido vaginal da mãe no bebê que nasce de cesariana — quando o bebê vem ao mundo por parto normal, ele passa pelo canal vaginal e é exposto aos microrganismos da mãe, começando assim a formar a sua própria microbiota, fortalecendo o seu sistema imunológico e o trato gastrointestinal. E o transplante de fezes vem se consolidando como opção de tratamento contra casos graves de infecção do intestino.[95]

Lembro-me de um dia estar cortando os caules de uma bananeira para colocar no solo, nas entrelinhas da agrofloresta. Esse processo ajuda na produção de matéria orgânica, também conhecida como biomassa, que mantém a terra úmida e muito fértil. Ouvindo sobre os benefícios da criação de biomassa com os caules da bananeira, me lembrei dos benefícios da biomassa de banana verde para a nossa microbiota intestinal. A banana verde cozida é rica em amidos resistentes, uma espécie de fibra que alimenta as bactérias benéficas do nosso

---

[94] "Por que o intestino tem relação com o autismo?", *UOL*, 31 jul. 2021. Ver também Carreiro (2018).
[95] "Transplante de fezes é opção eficaz de tratamento contra infecção intestinal grave", Universidade Federal de Minas Gerais, 23 nov. 2022.

intestino. Depois de descobrir o nome científico da banana, *Musa paradisiaca*, constatei que ela realmente é uma musa para os solos da terra e dos humanos.

Enfim, uma dieta diversificada, rica em alimentos de origem vegetal, é superimportante para mantermos a saúde individual, coletiva e planetária. O solo da terra e o solo do corpo agradecem. Uma vida mais diversa tem mais chances de prosperar. É lindo podermos compreender e sentir que fazemos parte de um mesmo universo; que as mesmas leis que atuam fora de nós atuam também dentro de nós. Somos uma microconstrução do macro. Com a opressão de certos saberes, fomos nos distanciando das leis, do ritmo e da diversidade da natureza. Porém, ao finalmente tomar consciência disso, podemos resgatar esse conhecimento e esse cuidado, e aceitar a generosidade da natureza sem explorá-la.

CAPÍTULO 5

A tecnologia como aliada

~~

Assim como todo mundo, não nasci sabendo cozinhar — nem ler, escrever, plantar ou costurar (continuo sem saber costurar, mas ainda quero aprender). Passei a infância e parte da adolescência vendo a minha avó materna, Nair, cozinhar em períodos de festas, quando ela vinha passar alguns dias ou semanas com a gente no Rio de Janeiro. Minha avó aprendeu a fazer comida com a sua sogra, Olga, que migrou da Itália para o Brasil. Antes de casar o filho, minha bisavó passou muitas receitas e truques da culinária italiana, mais especificamente a piemontesa, para a nora, minha avó Nair. Lembro com gosto dos seus bolos, pastéis, bolinhos de chuva — e de sua famosa macarronada, claro. Mas eu só olhava; não sentia vontade de ajudar nem de aprender. Não tinha a menor intimidade com a cozinha.

Minha mãe também não era muito de cozinhar, a não ser para preparar suas oferendas aos orixás. Vira e mexe ela estava na cozinha torrando feijão fradinho na panela de barro, moendo camarão seco para o caruru ou cozinhando milho branco para fazer o acaçá, sem contar o dia em que mal saía da cozinha fazendo os pratos da festa de Cosme e Damião. Lembro desses cheiros intensos e apetitosos até hoje. Minha mãe continua indo para a cozinha por causa das suas obrigações com o candomblé, mas a partir de uma certa idade passou a diversificar as receitas. Buscando uma alimentação mais saudável, para suavizar os sintomas da menopausa, ela se voltou à comida de panela. Além dos ultraprocessados, eliminou o açúcar, a farinha de trigo e todos os seus derivados, como doces, bebidas açucaradas, pães, massas, biscoitos etc. Apesar de ter uma cozinheira em casa, minha mãe precisava se virar em viagens e nos dias de folga da Cléo, então passou a se aventurar no fogão. A busca pelo bem-estar durante o período da menopausa a aproximou da cozinha. Hoje minha mãe faz uma das melhores sopas de legumes que já comi.

A pouca intimidade com a cozinha também é uma característica do meu pai. Minhas lembranças de infância são dele no sofá verde da saleta de casa tocando violão, tirando um cochilo em posição fetal no seu quarto ou compartilhando as refeições com a gente. Mas, à mesa, ele quase sempre nos dava alguma lição sobre alimentação: "Filha, beba água mais devagar", "Mastigue mais os alimentos", "Será que você não está comendo fruta demais?", e por aí vai. Esses ensinamentos seguem com o meu pai desde que adotou a macrobiótica como base alimentar. Em sua casa em Londres, durante o exílio, ele fazia o próprio tofu e, todo dia, cozinhava uma panela de arroz integral — mas isso foi muito antes de eu nascer.

Saí de casa com dezessete anos, praticamente sem saber cozinhar. O que me levou à cozinha, assim como aconteceu com o meu pai e a minha mãe, foi o desejo de fazer da minha alimentação uma forma de prevenir e tratar questões de saúde, e também a saudade dos sabores da nossa culinária. Depois de alguns meses morando em Nova York, a vontade de comer arroz e feijão chegou ao ponto de me fazer ligar para casa em busca de instruções (na época ainda não existia YouTube). Quando pedi a receita para a minha mãe, ela riu e me orientou a ligar para a minha avó. Liguei para a Dona Nair e segui sua receita à risca. Depois que abri a panela de feijão, reconheci o cheirinho de casa, do Brasil, de conforto, e senti que ali havia obtido um certo tipo de autonomia que até então me era desconhecida.

Depois do feijão, fui aos poucos desbravando outros alimentos e receitas, até que resolvi ingressar num curso de culinária natural. Àquela altura, a comida já era um elemento central da minha vida. Eu já passava horas estudando sobre alimentação natural, macrobiótica, ayurveda e medicina chinesa, e sabia que queria trabalhar com algo relacionado à comida, pelo viés da culinária ou da medicina. No entanto, quando fiz o primeiro curso, não tinha pretensão alguma de me tornar chef: queria simplesmente melhorar o meu repertório na cozinha de casa e ter mais conhecimento sobre nutrição. Foi assim que a culinária entrou na minha vida. Por uma questão de prioridade nutricional, eu queria comer bem e ter autonomia na cozinha. Levar isso a outras pessoas só veio depois.

Seja por coincidência, ironia do destino ou simplesmente pela perpetuação do machismo estrutural, quando nasci, o meu avô Domingos presenteou a minha mãe com uma panela que ela deveria guardar e me dar quando eu completasse quinze anos. Meu avô faleceu quando eu tinha apenas dois, mas estamos conectados por aquela panela. Nunca vou saber se ele teve alguma premonição ou se apenas tinha vontade de que eu trabalhasse com cozinha de alguma forma, remunerada ou não, mas cá estou, não apenas cozinhando, mas escrevendo sobre comida de panela.

A nossa ancestralidade e as tecnologias que nossos antepassados introduziram na cozinha têm um grande impacto na nossa forma de enxergar a comida e o seu preparo. Neste capítulo quero explorar um pouco do passado e do potencial futuro da atividade, para que possamos refletir sobre o papel da tecnologia e descobrir como podemos usá-la para democratizar o acesso à boa comida.

Da fogueira ao micro-ondas

Em outubro de 2015, durante uma conferência em Porto Alegre, a neurocientista Suzana Herculano-Houzel declarou que "a única coisa que só o ser humano sabe fazer é cozinhar".[96] Segundo ela, a descoberta do fogo foi um dos principais fatores que levou o nosso cérebro ao tamanho atual — aproximadamente três vezes maior do que o encéfalo do chimpanzé, nosso parente mais próximo — e, em última instância, à nossa superioridade intelectual. O calor transforma carnes e plantas de forma a torná-las mais facilmente digeríveis; ou seja, conseguimos absorver e extrair muito mais energia (calorias) e nutrientes dos alimentos cozidos. Esse excedente calórico possibilitou que o nosso córtex cerebral desenvolvesse mais neurônios do que qualquer outra espécie (Herculano-Houzel, 2017). Podemos dizer, então, que o ato de cozinhar foi a primeira engenhosidade que possibilitou todas as outras maravilhosas criações humanas, fruto de nosso incrível cérebro.

Mas a fogueira foi apenas o começo. Desde então, surgiram muitas invenções que podem não ter tido o mesmo efeito transformador em nossa espécie, mas que não deixaram de ser revolucionárias, poupando o tempo gasto no preparo dos alimentos e, assim, liberando-nos para outras tarefas e empreitadas, incluindo a fabricação de novas tecnologias voltadas para a alimentação, como utensílios e recipientes, fornos e trituradores e muitos outros. A panela mais antiga já descoberta, numa caverna na China, tem aproximadamente vinte mil anos, precedendo a agricultura, que surgiu muitos séculos depois (Wu *et al.*, 2012). Já na

---

[96] "'A única coisa que só o ser humano sabe fazer é cozinhar'", *Galileu*, 7 out. 2015.

era agrícola, a domesticação dos grãos e a invenção de moedores (originalmente de pedra) possibilitaram a fabricação de farinhas, fermentos e pães, que forneciam energia e nutrientes e podiam ser feitos em quantidade e com alguma antecedência. Mais recentemente, a água encanada representou uma enorme facilidade no preparo dos alimentos — um avanço que lamentavelmente ainda não chegou a todos os lares brasileiros.

No entanto, o grande salto no tempo gasto no preparo dos alimentos veio depois da industrialização, sobretudo após a implementação da eletricidade. A combinação dos motores com a disponibilidade da corrente elétrica deu origem aos eletrodomésticos que hoje são praticamente sinônimos de cozinha: geladeira, liquidificador, cafeteira, batedeira, processador de alimentos, forno elétrico e micro-ondas, panela elétrica, air fryers e muito mais. Foi a partir da segunda metade do século XX que aparelhos como batedeiras, moedores e liquidificadores adentraram os lares da classe média, permitindo que tarefas antes realizadas à mão com considerável esforço pudessem ser agilizadas. Em geladeiras e congeladores, os alimentos podem ser armazenados por períodos muito maiores, poupando o tempo gasto para comprar insumos e preparar uma refeição inteira do zero. O micro-ondas — que chegou a ser comparado à descoberta do fogo, tamanha a sua inovação na época (Delgado, 2011) — permite cozinhar e requentar refeições com muita rapidez, e muita pulga atrás da orelha.[97]

É inegável que a incrível variedade de eletrodomésticos comercializados nas últimas décadas contribuiu para reduzir o tempo gasto preparando refeições, especialmente se colocarmos na conta todas as etapas do processo, incluindo

---

[97] "Afinal, é perigoso esquentar comida no micro-ondas?", *BBC News Brasil*, 27 jul. 2020.

a aquisição dos ingredientes, a limpeza e a arrumação. Passamos menos tempo na cozinha do que nossas avós e bisavós, e também menos do que nossas contemporâneas em regiões com menos acesso a essas tecnologias. Por outro lado, no nosso país, a desigualdade de acesso é uma persistente realidade. Além do mais, como lembra a socióloga Elizabeth Bortolaia Silva (2010), no Brasil, "embora o preço das tecnologias tenha caído com o tempo, o custo do trabalho doméstico não aumentou suficientemente para tornar atrativa a substituição das empregadas pelas máquinas". Mesmo em lares cheios de eletrodomésticos poupadores de tempo e esforço, ainda existe a prática de proibir que a empregada doméstica use certos aparelhos, seja com a desculpa de "não quebrar", seja por uma lógica escravagista de que isso seria "pagá-la para não trabalhar".

Fica claro que os eletrodomésticos, por mais incríveis que sejam — e são mesmo —, não solucionam todos os problemas. Primeiro porque uma parcela significativa da população ainda enfrenta muita dificuldade para adquiri-los: de acordo com uma pesquisa feita em 2012 pela Nielsen, cerca de 30% dos lares brasileiros possuíam apenas um ou dois dos principais eletrodomésticos (geladeira, fogão, micro-ondas, lavadora de roupa ou tanquinho).[98] Em segundo lugar, há um limite para o que as máquinas são capazes de fazer. Pelo menos até o momento, uma geladeira consegue armazenar os alimentos em baixa temperatura, mas alguém ainda precisa abastecê-la com a comida. A panela elétrica pode fazer a sopa enquanto você trabalha, mas alguém precisa escolher, higienizar e picar os legumes e temperos. Em outras palavras, alguém ainda vai precisar se dedicar a uma parte do trabalho.

---

[98] "50% dos consumidores das classes A e B possuem micro-ondas", *InfoMoney*, 5 nov. 2012.

Por fim, as máquinas não mudaram radicalmente as dinâmicas culturais. Em pleno século XXI, não podemos deixar de reparar que, com exceção das máquinas de café, a maioria dos eletrodomésticos é direcionada ao público feminino. Portanto, mesmo havendo ferramentas que poupam uma parte do tempo e da energia, segue sendo função da mulher — e, em especial, da mulher preta e pobre — botar a comida na mesa (e limpar tudo depois).

A indústria pode ajudar sem atrapalhar?

Eu tinha um enorme preconceito com comidas industrializadas que substituem refeições, como shakes, pratos congelados e outros produtos que removem o ato de cozinhar da equação e facilitam a vida de quem não quer, não consegue ou não gosta de cozinhar. Ao longo dos anos, e principalmente depois de entender como o preparo dos alimentos está intimamente ligado à exploração de gênero, classe e raça, ampliei o meu entendimento sobre esse assunto. Afinal, quem pode pagar alguém para preparar comida de panela com ingredientes frescos é uma minoria da população. O que acontece com as pessoas que moram em desertos ou pântanos alimentares, dos quais falamos no capítulo 1? E quem não tem tempo ou dinheiro para se alimentar com comida de panela todos os dias?

A verdade é que as incríveis invenções industriais dos últimos séculos trouxeram muitos avanços. Além de reduzirem o tempo gasto no preparo dos alimentos, como já dissemos, também contribuíram para salvar vidas através de tecnologias como a pasteurização, que elimina boa parte dos microrganismos nocivos (e dos benéficos também), e outras técnicas que nos permitem armazenar os alimentos por mais tempo e com mais frescor, como o congelamento, o empacotamento a vácuo e a desidratação, entre outras. A engenharia também tem cumprido um papel importante no desenvolvimento de métodos mais eficazes de produção e transporte de alimentos, e com o menor impacto ambiental possível.

Ao criticar a indústria alimentícia, portanto, não estou defendendo um retorno ingênuo ao mundo pré-industrial. O problema é que, até o momento, os interesses capitalistas dos donos e acionistas dessas empresas e do agronegócio têm recebido praticamente uma carta branca dos governos e da sociedade para atropelar os interesses da saúde pública e do meio ambiente. Visando lucros a qualquer custo, introduziram ingredientes artificiais que servem apenas para deixar os alimentos mais viciantes, levando ao consumo excessivo que temos hoje, fortemente implicado no aumento das doenças crônicas não transmissíveis, como já vimos no começo do livro. A indústria priorizou alimentos à base de açúcar e xarope de milho, farinhas refinadas, gorduras hidrogenadas, sódio, aromatizantes artificiais e corantes porque são baratos, muitas vezes subsidiados pelo governo, duráveis e palatáveis. E mesmo com diversos estudos apontando a clara associação desses ingredientes com diabetes, obesidade, doenças cardiovasculares e até alguns cânceres (Fiolet *et al.*, 2018), esses alimentos seguem nas prateleiras dos mercados, nas propagandas da TV e na casa dos brasileiros.

Recentemente, com o aumento do interesse por alimentos mais nutritivos e menos artificiais,[99] algumas marcas estão buscando desenvolver produtos à base de ingredientes

---

[99] "Mercado de alimentação saudável, tendências e oportunidades", Sebrae, 17 jun. 2022.

naturais e (mais) integrais. Ou seja, não podemos dizer que todo alimento processado é igualmente nocivo; é preciso reconhecer que há opções de comidas empacotadas, enlatadas e congeladas que não comprometem a saúde. Por outro lado, a lógica excludente continua operando, visto que esses produtos costumam ser muito mais caros, estando disponíveis apenas para aquela mesma parcela da população que, de modo geral, pode pagar alguém para fazer suas comidas naturais ou pode fazer a comida ela mesma, já que não está inserida em um contexto massacrante de dupla ou tripla jornada de trabalho. Até que esses produtos industrializados mais saudáveis estejam realmente acessíveis para a população em geral, as empresas estarão apenas reproduzindo a mesma prática: fornecendo o que acreditam ser "o melhor que a tecnologia tem a oferecer" para a parcela mais abastada da população e deixando os mais desfavorecidos se entupirem dos baratos, porém danosos, ultraprocessados.

A comida a um clique de distância

A revolução das tecnologias da informação e da comunicação trouxe novas soluções e também novos desafios às atividades de cozinhar e de cuidados de modo geral. O trabalho remoto e os smartphones atenuaram a linha que separava o trabalho remunerado, tradicionalmente realizado fora do lar, do trabalho doméstico. É possível, agora, fazer uma reunião virtual enquanto esperamos a máquina bater a roupa e os legumes cozinharem, vigiamos a soneca do bebê ou monitoramos o filho adolescente jogando videogame. A dupla jornada virou uma jornada única, com mais pressão do que a panela do feijão.

Mas não dá para falar sobre alimentação na era digital sem falar de uma novidade que revolucionou a forma como muitas famílias urbanas e de classe média têm se alimentado: os aplicativos de entrega.

Cozinhar dá trabalho, e, como vivemos em sociedade, esse é mais um trabalho que pode ser dividido e distribuído — o que é ótimo. A ideia do aplicativo é genial, porque se propõe a conectar quem quer cozinhar e quem quer comer, mas na prática vemos que essa grande sacada tem sido usada para fins nefastos. Nossa vida dentro do capitalismo é baseada na venda do nosso tempo e esforço. A socióloga Sabrina Fernandes, minha amiga, explica de forma muito didática a função do tempo nesse esquema de exploração do trabalho e do trabalhador na era digital. Como ela diz no vídeo "Tempo e trabalho invisível", publicado em junho de 2022 pelo canal *Tese Onze*, no YouTube, quando você pede comida pelo aplicativo, está fazendo uma troca de tempo. É o tempo de quem cozinhou no restaurante enquanto você toma banho ou faz uma hora a mais do seu trabalho remoto, e é também o tempo de quem está fazendo o deslocamento, que muitas vezes está pedalando em áreas perigosas, levando vento gelado na cara, tomando chuva e tendo que fazer isso dentro de uma expectativa muito específica e brutal, porque é assim que o sistema funciona.

A princípio, não haveria problema, mas, por trás desse conceito simples — e que já existia quando o delivery era feito por telefone —, existe um fundo de exploração e precarização do trabalho que as empresas de tecnologia se esforçam para esconder.

O problema, claro, está no capitalismo e na lógica neoliberal em que essa tecnologia está incorporada. Os aplicativos de entrega, e especificamente os aplicativos de entrega de comida mais conhecidos no Brasil, têm sido vistos como sinônimo de eficiência a rapidez. No entanto, apenas uma pequena parte dessa receita de sucesso é resultado da tecnologia de ponta empregada na logística desse sistema. O iFood, por exemplo, declarou que investe pesado em tecnologia, explicando que todo o processo de alocação de pedidos é feito por algoritmos que buscam a combinação mais eficiente das variáveis. Em entrevista ao projeto jornalístico *O Joio e O Trigo*, Arnaldo Bertolaccini, diretor de experiência do usuário da empresa, afirmou: "Temos mais de quatro mil funcionários e, dentre eles, mais de mil engenheiros pensando dia e noite em como melhorar nossa entrega para todo o nosso ecossistema".[100] Curiosamente, na mesma entrevista, ele cita 41 mil entregadores cadastrados — que não são funcionários e, portanto, não gozam dos mesmos benefícios dos mais de mil engenheiros.

A verdade é que os aplicativos de entrega constroem um modelo de negócio que explora o trabalhador mais precarizado para alcançar a expectativa de entregas cada vez mais rápidas.[101] Cozinheiros, empacotadores e entregadores precisam acelerar o trabalho ao ponto da exaustão. Muitos deles mal têm tempo (ou permissão) de ir ao banheiro. Os entregadores, em especial, vivem uma situação trágica. Literalmente vestem a camisa (ou a mochila) das empresas de aplicativos, mas não têm contrato formal com elas; sem o amparo das leis trabalhistas, precisam rodar muitas horas para receber uma remuneração que valha a pena, o que aumenta o esgotamento e o risco de acidentes. Muitas vezes, em um dia inteiro de trabalho, não conseguem ganhar o valor de um único prato

---

[100] "'O iFood não quer acabar com a cozinha', afirma porta-voz da empresa", *O Joio e O Trigo*, 2 ago. 2021.
[101] "Aplicativos brasileiros tiram nota baixa em condições de trabalho, diz estudo", *BBC News Brasil*, 17 mar. 2022.

caro que levam nas costas. Em geral, transportam comida boa e se alimentam de salgadinhos e outros ultraprocessados.[102] Mesmo assim, em razão do alto nível de desemprego e das pressões econômicas, eles se submetem a essas condições para poder pagar minimamente as contas e sobreviver em um contexto de precarização crescente.

Essa é a realidade de muitas empresas digitais que adotaram um modelo de negócios conhecido como "uberização". Trata-se de, com o uso intenso da tecnologia, transformar o trabalhador em "autônomo" e o trabalho em "prestação de serviço", teoricamente eliminando qualquer resquício de vínculo empregatício e a maioria das garantias trabalhistas como salário, carga horária, fornecimento de equipamentos e proteções de segurança. Segundo Katrine Marçal (2017, p. 149), "não há trabalhadores na história neoliberal. Há apenas gente que investe em seu capital humano. Empreendedores cuja própria vida é um projeto de negócio e que têm total e completa responsabilidade pelo resultado". Mas que empreendedor é esse que não pode realmente escolher o seu preço, os seus clientes ou mesmo seu tempo de trabalho?

Existem várias razões para pedir comida — provar algo diferente, ter mais tempo para resolver uma urgência, fazer uma pausa da obrigatoriedade de cozinhar porque você está doente ou exausto etc. —, mas é importante ter a consciência de que essa nova solução para o velho problema de "quem vai fazer essa comida" está, novamente, beneficiando uma parcela da população em detrimento de outra. Os aplicativos podem ser geniais e inovadores ao conectar restaurantes e consumidores, mas a execução desse serviço — que

---

[102] "'Tá servido?': entregadores de apps se alimentam de marmita a R$ 1 em SP", *TAB UOL*, 9 mar. 2022.

acaba tornando a mão de obra ainda mais invisível — não é isenta de efeitos colaterais.

"Pede no aplicativo que uma mão misteriosa traz pra você." Não podemos esquecer que, no Brasil, essa mão misteriosa costuma ser periférica, racializada e sistematicamente desvalorizada (NEC-UFBA, 2020). E que as empresas agem sistematicamente para combater qualquer tentativa desses trabalhadores se organizarem. Em abril de 2022, a *Agência Pública* trouxe uma reportagem mostrando como agências de publicidade a serviço do iFood criaram perfis falsos em redes sociais e infiltraram agentes em uma manifestação de entregadores para desmobilizar o movimento e suas reivindicações.[103] Um estudo sobre as condições de trabalho em plataformas digitais coordenado pelo Oxford Internet Institute e pelo WZB Berlin Social Science Center e realizado em 27 países estabeleceu cinco critérios para mensurar o "trabalho decente" nos aplicativos. Na análise, em uma escala que vai de 0 a 10, o iFood tirou nota 2.[104]

O futuro da alimentação sem comida

Nas últimas décadas, a tecnologia avançou tanto que chegamos à Lua (e até colocamos sondas espaciais em Marte),

---

[103] "A máquina oculta de propaganda do iFood", *Agência Pública*, 4 abr. 2022.
[104] "Uber, 99, Rappi e iFood têm notas pífias em avaliação sobre trabalho decente no Brasil", *The Intercept Brasil*, 17 mar. 2022.

conectamos bilhões de pessoas via redes sociais virtuais, mapeamos o genoma humano, desvinculamos a reprodução humana do ato sexual e desenvolvemos máquinas com inteligência artificial para nos apoiar em diversas funções, entre muitas outras coisas. Apesar de tantos avanços, ainda não conseguimos alimentar todos os seres humanos do planeta nem cultivar alimentos para todos de forma sustentável. No entanto, alguns futuristas preveem um mundo em que a comida em si — pelo menos da maneira como estamos acostumados a enxergá-la — não será mais necessária.

No livro *As revoluções da comida*, o jornalista Rafael Tonon conta a história do engenheiro e empreendedor do Vale do Silício Rob Rhinehart, criador da Soylent, uma mistura em pó desenvolvida para suprir as necessidades calóricas e nutricionais de um adulto. Não foi o primeiro substituto de refeições em forma de shake já inventado, mas a criação é digna de nota porque defende uma visão sobre a comida até então inédita, a "de que a comida tem dois papéis distintos na nossa vida, nutrir e dar prazer, e de que podemos [...] saber separar as ocasiões de alimentação de acordo com essas duas necessidades particulares" (Tonon, 2021, p. 121). No e-mail enviado para Tonon, Rhinehart explicou: "Eu vejo o futuro da alimentação com a segmentação entre as refeições funcionais, como o Soylent, e refeições para o prazer" (Tonon, 2021, p. 120).

O inventor e futurista Ray Kurzweil vai ainda mais longe: num futuro não tão distante, diz, chegaremos ao estágio em que a tecnologia dará conta de transformar qualquer alimento em algo nutritivo para nós, ou mesmo que atingiremos um ponto em que se alimentar não será mais necessário para sobreviver. Assim como, com as tecnologias de reprodução humana, dissociamos o ato de fazer sexo ao de procriar, um dia vamos poder comer somente pelo prazer do ato, sem abalar a nossa nutrição, e também vamos conseguir nos nutrir sem nos alimentarmos. Em seu livro *A singularidade está próxima*, Kurzweil (2018, p. 345) argumenta:

> O sexo tem sido amplamente separado de sua função biológica. Na maioria das vezes, nos dedicamos à atividade sexual pela comunicação íntima e pelo prazer sensual, não pela reprodução. Por outro lado, concebemos múltiplos métodos para criar bebês sem sexo físico, embora a maior parte da reprodução ainda derive do ato sexual. Esse desemaranhar do sexo de sua função biológica não é admitido por todos os setores da sociedade, mas foi adotado prontamente, até avidamente, pela corrente dominante do mundo desenvolvido.
>
> Então, por que também não retiramos da biologia outra atividade que igualmente propicia a intimidade social e o prazer sensual — ou seja, comer?

Kurzweil prevê que essa "façanha" seja viabilizada por nanorrobôs — máquinas biotecnológicas invisíveis a olho nu capazes de medir e depositar nutrientes, enzimas e outras substâncias diretamente em nossa corrente sanguínea. A ideia é que esses robôs sejam capazes de calcular o que está em excesso ou o que está faltando e agir para colocar nosso corpo em equilíbrio, com base em nossas necessidades singulares, tudo em tempo real. Segundo o autor, a previsão é de que a tecnologia para realizar tudo isso esteja "razoavelmente madura no final dos anos 2020" (Kurzweil, 2018, p. 349). Ou seja, menos de dez anos depois da publicação deste livro.

Se você acha que isso não passa de ficção científica, lembremos que muitas tecnologias que hoje fazem parte de nossa vida — como smartphones, aspiradores robô e assistentes de voz — há poucas décadas eram impensáveis ou, na melhor das hipóteses, fantasias improváveis. Com a aceleração das tecnologias da informação e da própria inteligência artificial, não é nada impossível que cheguemos a um ponto em que seremos capazes de superar o ato de comer e também o ato de cozinhar. Caso isso de fato aconteça, os aspectos sociais, culturais e afetivos do comer serão profundamente impactados. Veremos.

De qualquer forma, como já testemunhamos ao longo dos séculos, os avanços tecnológicos raramente atingem as pessoas de forma igualitária. É preciso se perguntar: quem terá acesso a essas fórmulas nutricionais? Como isso afetará o preço dos alimentos verdadeiros — isto é, as refeições feitas "por prazer"? Será que a comida como a conhecemos hoje não corre o risco de se tornar um verdadeiro objeto de luxo, já que vai ser muito mais simples encaixar as fórmulas na produção e na logística capitalistas? Quanto aos nanorrobôs, quem terá condições de arcar com os custos de equipar o corpo com eles e com outras biotecnologias que prometem nos levar a um estágio em que transcenderemos a biologia?

A tecnologia, pelo menos em tese, promete soluções potencialmente revolucionárias para a questão da comida. Mas, na prática, neste mundo de profundas desigualdades, a probabilidade é de que ela sirva apenas para aumentar o fosso entre ricos e pobres, e entre os brancos do Norte global e as populações racializadas do Sul. Não vai adiantar nada promover e sonhar com os milagrosos avanços biotecnológicos que nos aguardam muito em breve sem pensar nos aspectos que sempre existiram quando o assunto é a reprodução dos corpos: quem ganha e quem perde, e por quê?

CONCLUSÃO

Todo mundo deveria fazer a própria comida?

Todos nós precisamos comer, de preferência em quantidade e com qualidade suficientes para o bom funcionamento do nosso organismo. Milhões de pessoas no mundo estão morrendo pela boca, pela falta de comida ou por ingerirem produtos ultraprocessados em excesso. A boa e velha comida de panela pode, sim, ajudar a salvar vidas. Mas, insisto: quem vai fazer essa comida?

Sabemos que o cozinhar e todas as etapas que envolvem esse processo, do campo até a mesa, sempre foram desvalorizados e mal remunerados; inclusive, muitas vezes, quem faz esse trabalho é submetido a condições degradantes. Estamos falando majoritariamente de mulheres, em especial as pretas, pobres e migrantes. O motivo para essa desigualdade deve ter ficado claro ao longo do livro. E por mais que a luta feminista do século XX tenha sido fundamental para a emancipação da mulher branca — garantindo o direito ao voto, ao divórcio, ao trabalho e muito mais —, deixou muitas outras mulheres (as racializadas e marginalizadas) para trás, o que acabou segregando o movimento e enfatizando a disparidade social. Para as mulheres ricas e de classe média conquistarem posições de destaque nas empresas, muitas pretas e migrantes tiveram que dar conta do cuidado com a casa, com os filhos e com a família.

Com a partida das mulheres de classe média para o mercado de trabalho, a indústria enxergou a oportunidade de se apropriar da alimentação familiar. Por meio de investimentos pesados em pesquisas de mercado e marketing, a indústria passou a oferecer para essa mulher produtos embalados e prontos para o consumo, substituindo boa parte do tempo usado no planejamento e no preparo das refeições, sem contar a louça. Parecia uma ótima estratégia — e foi, sobretudo para a concentração de capital.

Os alimentos industrializados se tornavam cada vez mais práticos, palatáveis e baratos. Esse marketing em cima do você pode substituir o leite materno por Leite Moça (e, depois, por fórmula), o bifinho por um Danoninho, a manteiga pela margarina, uma refeição por Sustagen etc. conquistou muitos lares mundo afora. Porém, os problemas relacionados a essa mudança no padrão alimentar da sociedade não tardaram a aparecer. Enquanto o consumo de arroz e feijão no Brasil diminui, aumenta o número de pessoas acometidas por doenças relacionadas a estilo de vida e hábitos alimentares. Mas, como já disse e repeti ao longo destas páginas, não é apenas o nosso corpo que sofre: o aumento do consumo de produtos ultraprocessados também agride o meio ambiente, com os desmatamentos que provocam, com o uso excessivo de plástico e de agrotóxicos, e com a perda de biodiversidade.

A produção de alimentos ultraprocessados está nas mãos de trabalhadores invisíveis no campo, nos abatedouros, nas fábricas, nas cozinhas, que são mal remunerados por corporações internacionais que dominam a produção e a distribuição mundial de alimentos. Uma ótima fórmula para a concentração de riqueza.

A saída seria cada um plantar, colher e cozinhar a própria comida? Talvez numa utopia ou numa sociedade plenamente solidária e comunal, em que as pessoas se revezassem para alimentar o grupo. Mas essa não é a nossa sociedade. Então, não, não acho que todos devem cozinhar a própria comida.

Aqueles que não gostam de cozinhar ou não querem fazê-lo têm o direito de escolher. Cozinhar, para mim, Bela, vai além de uma necessidade fisiológica. É o que alimenta a minha alma, como uma forma de arte, de expressão, de criatividade, de distração e diversão (e frustração também). Sou uma pessoa que ama comer. E sempre gostei de equilibrar o prazer gastronômico com a nutrição. O meu prazer em comer vem antes do meu prazer em cozinhar. Em muitas entrevistas me perguntam qual é a minha maior inspiração para criar receitas e pratos inusitados. Costumo responder que uma das minhas maiores inspirações é a fome — no sentido estritamente fisiológico e imediato. A fome me faz parar o que estou fazendo para ir até a cozinha, abrir a geladeira e inventar algo. Se antecipo a fome, crio pratos elaborados; quando ela chega com intensidade, faço algo mais simples e rápido. Agora, no meu trabalho, na minha profissão, muitas vezes tiro um tempo ou alguns dias para criar receitas, ir atrás dos ingredientes e passar um tempo cozinhando e testando essas combinações, sem o propósito inicial de me alimentar.

Cozinho todos os dias em casa? Não. Assim como os meus pais, uso do meu privilégio de classe para poder comprar o tempo de alguém para fazer esse trabalho por mim. Divido esse trabalho com a Vanessa, de quem falei no capítulo 1. E um dos motivos que me levaram a escrever este livro foi o incômodo cada vez maior com a injusta divisão social do trabalho, com a opressão da classe trabalhadora, enxergando o recorte interseccional do trabalho doméstico e a vontade de buscar cada vez mais soluções para esse problema estrutural.

Sabemos que a comida de panela é incrível — para nutrir o corpo, a cultura e respeitar o meio ambiente. Mas, para repetir, mais uma vez, o título do livro: quem vai fazer essa comida? A dona de casa, a mãe, a avó, a esposa, a empregada doméstica migrante, a mulher pobre e preta da periferia? E quem fará a comida dela, da família dela? Será que é certo que, para alguns poucos terem comida fresca e serem saudáveis e livres para correr atrás de seus sonhos, outros muitos tenham que se contentar com produtos ultraprocessados, que fazem mal ao corpo e ao planeta — isso quando não passam fome?

Vivemos numa sociedade em que existe uma divisão de trabalho bastante específica e especializada. Eu cozinho enquanto outro planta; o músico compõe enquanto a professora dá aula; a médica faz uma operação enquanto o faxineiro limpa o centro cirúrgico; alguém descobre a cura da aids ou dirige um ônibus enquanto outro lava a roupa do filho. Cada um faz (ou deveria ter a chance de fazer) o que sabe e gosta, mas a gente precisa reconhecer que a maior parte da classe trabalhadora faz o que pode e o que tem para fazer. Plantar é fundamental, assim como construir um teto e amamentar ou alimentar um bebê. Não obstante, não são todos que podem ou estão aptos a fazê-lo. Cozinhar é uma tarefa essencial para a sobrevivência humana e, por isso, muitos devem achar um absurdo a minha afirmação, como cozinheira e defensora de uma alimentação saudável, de que nem todo mundo precisa cozinhar. Por outro lado, é necessário, sim, valorizar devidamente o ato de cozinhar e tudo que ele envolve. É urgente desenvolvermos mais consciência sobre quem executa esse trabalho e em quais condições.

Fora dos programas de TV, o cozinhar é muito desvalorizado. Em casa, em um restaurante, em uma cantina escolar, em um hospital ou até mesmo na indústria, não vemos glamour ou reconhecimento nenhum a quem se dedica a essa atividade. Então, a chave para a mudança está na valorização do cozinhar, seguida de uma sociedade consciente e informada para se organizar e defender a dignidade e o reconhecimento desse trabalho, redistribuí-lo entre todos e finalmente remunerá-lo. Quem vai fazer essa comida, portanto, é todo mundo que assim o deseje; é o Estado, promovendo políticas públicas que ajudem na distribuição dessa tarefa; é a indústria, deixando de pensar só no lucro e produzindo alimentos acessíveis e de qualidade. O reconhecimento, a valorização, a redistribuição e a remuneração do cozinhar são a saída para que todos tenham mais acesso a uma boa alimentação.

    O modo como uma sociedade organiza as oportunidades de trabalho molda a saúde pública, o crescimento econômico, a justiça e a democracia — ou fermenta a falta de tudo isso. Do mesmo modo que eu amo comer e adoro cozinhar, muitas pessoas não gostam nem de comer nem muito menos de cozinhar. E eu acho que precisamos avaliar e respeitar a opinião e a vontade de cada um. Uns gostam de comer muito, outros gostam de comer pouco, outros querem se arriscar na cozinha e muitos não querem chegar perto. A única questão que também acho que precisa ser levantada é a origem desse desgosto pela cozinha. Teria ele raízes na falta de contato com o fogão, no desconhecimento de receitas, em um legítimo desinteresse pelas panelas, assim como há pessoas que gostam de matemática e odeiam história e vice-versa? Ou seria esse desprezo resultado da desvalorização econômica e social que se instaurou historicamente sobre o ato de cozinhar?

    Sabemos que muita gente prefere usar o tempo em que estaria cozinhando para trabalhar ou se divertir. Eu, por exemplo, tenho o cozinhar como trabalho e diversão. Mas há pessoas que realmente acham uma perda de tempo comer, não desfrutam as texturas dos alimentos, não sentem prazer algum em saboreá-los e comem simplesmente por uma obrigação biológica. E levanto a mesma questão: será que essa pessoa prefere trocar o tempo de comer por tempo de trabalho porque talvez não tenha sido apresentada a uma educação alimentar e ao ato da comensalidade quando pequena? Ou talvez porque caiu na armadilha social da valorização do trabalho produtivo e prefere trabalhar mais e gastar o mínimo de tempo para comer porque se sente mais realizada fazendo mais daquilo que a sociedade acredita ter um valor superior?

São perguntas que merecem a nossa detida reflexão. Com uma boa educação alimentar e culinária, talvez a sociedade passe a tratar o tema da alimentação de uma maneira diferente. E é nessa educação que eu aposto, pois, assim, quem não quiser cozinhar, ou não quiser tirar um tempo razoável para comer, tomará essa decisão com mais consciência, entendendo por que está trocando e abdicando de certas tarefas, e valorizando a pessoa que as está realizando em seu lugar. Assim, cozinhar e comer (ou não) podem se tornar escolhas realmente livres.

Comida boa nas escolas, nos hospitais, nos presídios; restaurantes populares espalhados pelo país; limites a propaganda e consumo de alimentos ultraprocessados; incentivos ao ato de cozinhar dentro de casa através da redução da jornada de trabalho e da remuneração do trabalho doméstico; reconhecer e fortalecer programas de governo que influenciam positivamente as nossas opções e as oportunidades de nos alimentar; e a criação de novas politicas públicas que facilitem o acesso ao bom alimento, do campo à mesa, para que possamos ter mais tempo para cuidar da gente e estar com a nossa família. Essas são iniciativas que melhoram a convivência e espalham o cuidado, incluindo o cuidado com a alimentação.

E se você, leitor, leitora, já estiver desfrutando de alguma condição que facilite o acesso ao comer bem, experimente, vale a pena, por você, pelos seus, por mim, por nós e pelo nosso planeta.

REFERÊNCIAS

ACOSTA, Alberto. *O Bem Viver: uma oportunidade para imaginar outros mundos*. Trad. Tadeu Breda. São Paulo: Elefante/Autonomia Literária, 2016.

ADDATI, Laura; CASSIRER, Naomi & GILCHRIST, Katherine. *Maternity and Paternity at Work: Law and Practice across the World*. Genebra: OIT, 2014.

ALMEIDA, João Aprígio Guerra de. *Amamentação: um híbrido natureza-cultura*. Rio de Janeiro: Fiocruz, 1999.

ARIZA, Marília B. A. *Mães infames, filhos venturosos: trabalho, pobreza, escravidão e emancipação no cotidiano de São Paulo (século XIX)*. São Paulo: Alameda, 2020.

BADINTER, Elisabeth. *Um amor conquistado: o mito do amor materno*. Trad. Waltensir Dutra. Rio de Janeiro: Nova Fronteira, 2004.

BARTHOLO, Letícia; PASSOS, Luana & FONTOURA, Natália. "Bolsa Família, autonomia feminina e equidade de gênero: o que indicam as pesquisas nacionais?", *Cadernos Pagu*, n. 55, 2019.

BECK, Koa. *Feminismo branco: das sufragistas às influenciadoras e quem elas deixam para trás*. Trad. Bruna Barros. Rio de Janeiro: HarperCollins Brasil, 2021.

BENTON, Tim G.; BIEG, Carling; HARWATT, Helen; PUDASAINI, Roshan & WELLESLEY, Laura. "Food System Impacts on Biodiversity Loss: Three Levers for Food System Transformation in Support of Nature", Research Paper, Chatham House, fev. 2021.

BLOOM, David E. *et al*. *The Global Economic Burden of Noncommunicable Diseases*. Genebra: Fórum Econômico Mundial, 2011.

BLOOM, David; CHEN, Simiao; KUHN, Michael; MCGOVERN, Mark; OXLEY, Les & PRETTNER, Klaus. "The Economic Burden of Chronic Diseases: Estimates and Projections for China, Japan, and South Korea", Working Paper n. 23.601, National Bureau of Economic Research, jul. 2017.

BORGES, Camila A.; GABE, Kamila T.; CANELLA, Daniela S. & JAIME, Patricia C. "Caracterização das barreiras e facilitadores para alimentação adequada e saudável no ambiente alimentar do consumidor", *Cadernos de Saúde Pública*, v. 37, supl. 1, 2021.

BRASIL. *Plano de ações estratégicas para o enfrentamento das doenças crônicas não transmissíveis (DCNT) no Brasil 2011-2021*. Brasília: Ministério da Saúde, 2011.

BRASIL. *Guia alimentar para a população brasileira*. 2. ed. Brasília: Ministério da Saúde, 2014.

BROWN, Heather. "Marx on Gender and the Family: A Summary", *Monthly Review*, v. 66, n. 2, jun. 2014.

CAMPELLO, Tereza; FALCÃO, Tiago & COSTA, Patricia Vieira da (org.). *O Brasil sem miséria*. Brasília: Ministério do Desenvolvimento Social e Combate à Fome, 2014.

CAMPOS, Arnoldo de & CARMÉLIO, Edna. "O papel da tributação como propulsora da desnutrição, obesidade e mudanças climáticas no Brasil", ACT Promoção da Saúde, 2022.

CAMPOS, Christiane Senhorinha Soares & CAMPOS, Rosana Soares. "Soberania alimentar como alternativa ao agronegócio no Brasil", *Scripta Nova*, v. 11, n. 245, ago. 2007.

CAMPOS, Raquel Discini de. *Mulheres e crianças na imprensa paulista (1920-1940): representação e história*. Tese de doutorado, Araraquara, Faculdade de Ciências e Letras de Araraquara, Universidade Estadual Paulista, 2007.

CARREIRO, Denise. *Abordagem nutricional na prevenção e tratamento do autismo*. Edição da autora, 2018.

CASTRO, Eduardo Viveiros de. "O recado da mata". *In*: KOPENAWA, Davi & ALBERT, Bruce. *A queda do céu: palavras de um xamã yanomami.* São Paulo: Companhia das Letras, 2015.

CHEN, Simiao; KUHN, Michael; PRETTNER, Klaus & BLOOM, David E. "The Macroeconomic Burden of Noncommunicable Diseases in the United States: Estimates and Projections", PLOS *One*, v. 13, n. 11, 2018.

COFFEY, Clare *et al.* "Time to Care: Unpaid and Underpaid Care Work and the Global Inequality Crisis", Oxfam Briefing Paper, jan. 2020.

COLLEN, Allana. *10% humano: como os micro-organismos são a chave para a saúde do corpo e da mente.* Trad. Ivo Korytowski. Rio de Janeiro: Sextante, 2016.

DELGADO, Cláudia S. G. *Influência dos produtos tecnológicos no mobiliário doméstico.* Dissertação de mestrado, Lisboa, Faculdade de Belas Artes, Universidade de Lisboa, 2011.

DELMANTO, Júlio. *História social do LSD no Brasil: os primeiros usos medicinais e o começo da repressão.* São Paulo: Elefante, 2020.

DUNBAR, Robin I. M. "Breaking Bread: The Functions of Social Eating", *Adaptive Human Behavior and Physiology*, v. 3, n. 3, p. 198-211, set. 2017.

ELIAS, Norbert. *O processo civilizador*, v. 2, *Formação do Estado e civilização.* Trad. Ruy Jungmann. Rio de Janeiro: Zahar, 1993.

ELSON, Diane. "Recognize, Reduce, and Redistribute Unpaid Care Work: How to Close the Gender Gap", *New Labor Forum*, v. 26, n. 2, p. 52-61, maio 2017.

EHRENREICH, Barbara & ENGLISH, Deirdre. *Witches, Midwives & Nurses: A History of Women Healers.* Nova York: Feminist Press, 2010. [Ed. bras.: *Bruxas, parteiras e enfermeiras: uma história de mulheres que curam.* São Paulo: Elefante, no prelo.]

FANON, Frantz. *Os condenados da Terra.* Trad. José Laurênio de Melo. Rio de Janeiro: Civilização Brasileira, 1968.

FAO, IFAD, UNICEF, WFP & OMS. *The State of Food Security and Nutrition in the World 2022: Repurposing Food and Agricultural Policies to Make Healthy Diets More Affordable.* Roma: FAO, 2022.

FEDERICI, Silvia. *Calibã e a bruxa: mulheres, corpo e acumulação primitiva*. Trad. Coletivo Sycorax. São Paulo: Elefante, 2017.

FEDERICI, Silvia. *O ponto zero da revolução: trabalho doméstico, reprodução e luta feminista*. Trad. Coletivo Sycorax. São Paulo: Elefante, 2019.

FERRANT, Gaëlle; PESANDO, Luca Maria & NOWACKA, Keiko. "Unpaid Care Work: The Missing Link in the Analysis of Gender Gaps in Labour Outcomes", OECD Development Centre, dez. 2014.

FIOCRUZ. *Agrotóxicos e Saúde*. Coleção Ambiente, Saúde e Sustentabilidade, 2. Rio de Janeiro: Fiocruz, 2018.

FIOLET, Thibault *et al.* "Consumption of Ultra-Processed Foods and Cancer Risk: Results from NutriNet-Santé Prospective Cohort", *BMJ*, 2018.

FOROUZANFAR, Mohammad H. *et al.* "Global, Regional, and National Comparative Risk Assessment of 79 Behavioural, Environmental and Occupational, and Metabolic Risks or Clusters of Risks in 188 Countries, 1990-2013: A Systematic Analysis for the Global Burden of Disease Study 2013", *The Lancet*, v. 386, n. 10.010, p. 2.287-323, 2015.

GABRIEL, Mary. *Amor e capital: a saga familiar de Karl Marx e a história de uma revolução*. Trad. Alexandre Barbosa de Souza. Rio de Janeiro: Zahar, 2013.

GARZILLO, Josefa M. F. *et al.* "Ultra-Processed Food Intake and Diet Carbon and Water Footprints: A National Study in Brazil", *Revista de Saúde Pública*, v. 56, 2022.

GIODA, Adriana. "Residential Fuelwood Consumption in Brazil: Environmental and Social Implications", *Biomass and Bioenergy*, v. 120, p. 367-75, jan. 2019.

GIUBERTI, Janine & ALBIERO, Marília (coord.). "Dossiê Big Food: como a indústria interfere em políticas de alimentação", ACT & Idec, 2022.

HARAWAY, Donna. "Saberes localizados: a questão da ciência para o feminismo e o privilégio da perspectiva parcial", trad. Mariza Corrêa, *Cadernos Pagu*, n. 5, p. 7-45, 1995.

HENDRIKS, Sheryl *et al.* "The True Cost and True Price of Food", United Nations Food Systems Summit, 1º jun. 2021.

HERCULANO-HOUZEL, Suzana. *A vantagem humana: como nosso cérebro se tornou super poderoso*. Trad. Laura Teixeira Motta. São Paulo: Companhia das Letras, 2017.

HIRATA, Helena. "Gênero, classe e raça: interseccionalidade e consubstancialidade das relações sociais", *Tempo Social*, v. 26, n. 1, p. 61-73, jun. 2014.

HUBBARD, Ruth. "Algumas ideias sobre a masculinidade das ciências naturais", *In*: GERGEN, Mary McCanney (org.). *O pensamento feminista e a estrutura do conhecimento*. Rio de Janeiro: Rosa dos Tempos, 1993.

IBGE. *Síntese de indicadores sociais: uma análise das condições de vida da população brasileira (2021)*. Rio de Janeiro: IBGE, 2021.

JAIME, Patrícia; CAMPELLO, Tereza; MONTEIRO, Carlos; BORTOLETTO, Ana Paula; YAMAOKA, Marina & BOMFIM, Murilo. "Diálogo sobre ultraprocessados: soluções para sistemas alimentares saudáveis e sustentáveis". São Paulo: Cátedra Josué de Castro/Nupens-USP, 2021.

KURZWEIL, R. *A singularidade está próxima: quando os homens transcendem a biologia*. Trad. Ana Goldberger. São Paulo: Iluminuras, 2018.

LESHEM, Dotan. "What Did the Ancient Greeks Mean by *Oikonomia*?", *Journal of Economic Perspectives*, v. 30, n. 1, p. 225-31, inverno 2016.

LEVY, Renata Bertazzi *et al*. "Evolução dos padrões alimentares na população brasileira e implicações do consumo de alimentos ultraprocessados na saúde e no meio ambiente". *In*: CAMPELLO, Tereza & BORTOLETTO, Ana Paula (org.). *Da fome à fome: diálogos com Josué de Castro*. São Paulo: Elefante, 2022a, p. 107-21.

LEVY, Renata Bertazzi *et al*. "Três décadas da disponibilidade domiciliar de alimentos segundo a NOVA — Brasil, 1987–2018", *Revista de Saúde Pública*, v. 56, n. 75, 2022b.

LIMULJA, Hanna. *O desejo dos outros: uma etnografia dos sonhos yanomami*. São Paulo: Ubu, 2022.

LO, Joann & JACOBSON, Ariel. "Human Rights from Field to Fork: Improving Labor Conditions for Food-Sector Workers by Organizing across Boundaries", *Race/Ethnicity: Multidisciplinary Global Contexts*, v. 5, n. 1, p. 61-82, 2011.

MACHADO, Maria Helena P. T. "Between Two Beneditos: Enslaved Wet-Nurses amid Slavery's Decline in Southeast Brazil", *Slavery & Abolition*, v. 38, n. 2, p. 320-336, 2017.

MAIA, Emanuela Gomes et al. "What to Expect from the Price of Healthy and Unhealthy Foods over Time? The Case from Brazil", *Public Health Nutrition*, v. 23, n. 4, p. 579-88, mar. 2020.

MALTA, Deborah Carvalho et al. "Doenças crônicas não transmissíveis e a utilização de serviços de saúde: análise da Pesquisa Nacional de Saúde no Brasil", *Revista de Saúde Pública*, v. 51, supl. 1, 2017, p. 1s-10s.

MARÇAL, Katrine. *O lado invisível da economia: uma visão feminista.* Trad. Laura Folgueira. São Paulo: Alaúde, 2017.

MCCLOSKEY, Deirdre. "Postmodern Market Feminism: A Conversation with Gayatri Chakravorty Spivak", *Rethinking Marxism*, v. 12, n. 4, p. 27-37, dez. 2000.

MENDENHALL, Emily & SINGER, Merrill. "The Global Syndemic of Obesity, Undernutrition, and Climate Change", *The Lancet*, v. 393, n. 10.173, 23 fev. 2019.

MERCHANT, Carolyn. *The Death of Nature: Women, Ecology, and the Scientific Revolution.* São Francisco: Harper & Row, 1990.

MIALON, Melissa; CEDIEL, Gustavo; JAIME, Patricia C. & SCAGLIUSI, Fernanda B. "Um processo consistente de gerenciamento dos *stakeholders* pode garantir a 'licença social para operar': mapeando as estratégias políticas da indústria alimentícia no Brasil", *Cadernos de Saúde Pública*, v. 37, supl. 1, 2021.

MILLER, Claire C. "How Society Pays When Women's Work Is Unpaid", *The New York Times*, 23 fev. 2016.

MONTEIRO, Carlos A.; CANNON, Geoffrey; LAWRENCE, Mark; LOUZADA, Maria L. da C. & MACHADO, Priscila P. *Ultra-processed foods, diet quality, and health using the NOVA classification system.* Roma: FAO, 2019.

MOTT, Maria Lúcia. "Assistência ao parto: do domicílio ao hospital (1830-1960)", *Projeto História*, v. 25, p. 197-219, jul.-dez. 2022.

MOURA, Ravena M. S. & PINHEIRO, Amanda C. "Os benefícios da dieta saudável e equilibrada na melhoria do controle das doenças crônicas", Universidade Aberta do SUS, 2020.

NEC-UFBA. "Levantamento sobre o trabalho dos entregadores por aplicativos no Brasil — relatório 1 de pesquisa", Projeto Caminhos do Trabalho: Tendências, Dinâmicas e Interfaces, do Local ao Global, Núcleo de Estudos Conjunturais (NEC), Faculdade de Economia, Universidade Federal da Bahia, ago. 2020.

NESTLE, Marion. *Uma verdade indigesta: como a indústria alimentícia manipula a ciência do que comemos*. Trad. Heloisa Menzen. São Paulo: Elefante/O Joio e O Trigo, 2019.

NG, Shu Wen; RIVERA, Juan A.; POPKIN, Barry M. & COLCHERO, M. Arantxa. "Did High Sugar-Sweetened Beverage Purchasers Respond Differently to the Excise Tax on Sugar-Sweetened Beverages in Mexico?", *Public Health Nutrition*, v. 22, n. 4, p. 750-6, mar. 2019.

OKUNOGBE, Adeyemi; NUGENT, Rachel; SPENCER, Garrison; RALSTON, Johanna & WILDING, John. "Economic Impacts of Overweight and Obesity: Current and Future Estimates for Eight Countries", *BMJ Global Health*, v. 6, n. 10, out. 2021.

OLIVEIRA, Ariovaldo Umbelino de. "A mundialização da agricultura brasileira". *In*: XII Coloquio Internacional de Geocrítica, Bogotá, 7-11 mar. 2012.

OPAS. *Alimentos e bebidas ultraprocessados na América Latina: tendências, efeito na obesidade e implicações para políticas públicas*. Brasília: Organização Pan-Americana da Saúde (Opas), 2018.

OXFAM. "Tempo de cuidar: o trabalho de cuidado não remunerado e mal pago e a crise global da desigualdade", documento informativo da Oxfam, jan. 2020.

OXFAM BRASIL. "Terrenos da desigualdade: terra, agricultura e desigualdades no Brasil rural", informe da Oxfam Brasil, nov. 2016.

PERES, João & MATIOLI, Victor. *Donos do mercado: como os grandes supermercados exploram trabalhadores, fornecedores e a sociedade*. São Paulo: Elefante/O Joio e O Trigo, 2020.

PINHEIRO, Luana & MADSEN, Nina. "As mulheres negras no trabalho doméstico remunerado", *Desafios do Desenvolvimento*, v. 8, n. 70, dez. 2011.

PINTO, Juliana R. R. & COSTA, Flávia N. "Consumo de produtos processados e ultraprocessados e o seu impacto na saúde dos adultos", *Research, Society and Development*, v. 10, n. 14, 2021.

POMPEIA, Caio. *Formação política do agronegócio*. São Paulo: Elefante, 2021.

POORE, Joseph & NEMECEK, Thomas. "Reducing Food's Environmental Impacts through Producers and Consumers", *Science*, v. 360, n. 6.392, p. 987-92, 2018.

REDE PENSSAN. "II Inquérito nacional sobre insegurança alimentar no contexto da pandemia da covid-19 no Brasil (II VigiSAN), relatório final, 2022.

RIBEIRO, Sidarta. [Orelha de livro]. In: DELMANTO, Júlio. *História social do LSD no Brasil: os primeiros usos medicinais e o começo da repressão*. São Paulo: Elefante, 2020.

ROY, Jessica. "Help Solve the Time Poverty Problem by Making Your Partner Do the Dishes Tonight", *The Cut*, 23 fev. 2016.

SANTOS, Maureen & GLASS, Verena (org.). *Atlas do agronegócio: fatos e números sobre as corporações que controlam o que comemos*. Rio de Janeiro: Fundação Heinrich Böll, 2018.

SILVA, Elizabeth B. "Empregadas domésticas, máquinas e moral nos lares brasileiros", *Revista Tecnologia e Sociedade*, v. 6, n. 10, jan.-jun. 2010.

SILVA, Jacqueline Tereza da *et al*. "Greenhouse Gas Emissions, Water Footprint, and Ecological Footprint of Food Purchases According to their Degree of Processing in Brazilian Metropolitan Areas: A Time-Series Study from 1987 to 2018", *The Lancet Planetary Health*, v. 5, n. 11, p. e775-85, nov. 2021.

SOARES, Wagner L. & PORTO, Marcelo F. de S. "Uso de agrotóxicos e impactos econômicos sobre a saúde", *Revista de Saúde Pública*, v. 46, n. 2, p. 209-17, abr. 2012.

SOARES, Wagner L.; CUNHA, Lucas N. da & PORTO, Marcelo F. de S. "Uma política de incentivo fiscal a agrotóxicos no Brasil é injustificável e insustentável", Abrasco/GT Saúde/Ibirapitanga, fev. 2020.

SOUZA, José O. C. de. "O sistema econômico nas sociedades indígenas Guarani pré-coloniais", *Horizontes Antropológicos*, v. 8, n. 18, p. 211-53, dez. 2002.

SWINBURN, Boyd A. *et al.* "The Global Syndemic of Obesity, Undernutrition, and Climate Change: *The Lancet* Commission report", *The Lancet*, v. 393, n. 10.173, p. 791-846, 23 fev. 2019.

TELLES, Lorena F. da S. *Libertas entre sobrados: mulheres negras e trabalho doméstico em São Paulo (1880-1920)*. São Paulo: Alameda, 2013.

THOMPSON, E. P. "Tempo, disciplina de trabalho e capitalismo industrial". In: *Costumes em comum: estudos sobre a cultura popular tradicional*. Trad. Rosaura Eichenberg. São Paulo: Companhia das Letras, 1998.

TONON, Rafael. *As revoluções da comida: o impacto das nossas escolhas à mesa*. São Paulo: Todavia, 2021.

UNRISD. "Why Care Matters for Social Development", UNRISD Research and Policy Brief n. 9, 2010.

VIANNA, Cláudia P. "O sexo e o gênero da docência", *Cadernos Pagu*, n. 17-18, p. 81-103, 2002.

WU, Xiaohong *et al.* "Early Pottery at 20,000 Years Ago in Xianrendong Cave, China", *Science*, v. 336, n. 6.089, p. 1.696-700, 29 jun. 2012.

Foto: Flora Negri

Bela Gil é chef de cozinha, apresentadora de TV e ativista pela agroecologia e pela alimentação saudável para todos. Integrou a equipe de transição do governo federal no final de 2022. É autora dos livros *Simplesmente Bela* (Sextante, 2020), *Bela maternidade* (Sextante, 2018) e da série de publicações culinárias *Bela cozinha*.

© Editora Elefante, 2023
© Bela Gil, 2023

Primeira edição, abril de 2023
São Paulo, Brasil

Dados Internacionais de Catalogação na Publicação (CIP)
Angélica Ilacqua CRB-8/7057

Gil, Bela
Quem vai fazer essa comida? Mulheres, trabalho doméstico e alimentação saudável / Bela Gil.
São Paulo: Elefante, 2023.
184 p.

ISBN 978-85-93115-86-8

1. Ciências sociais 2. Mulheres 3. Culinária I. Título

23-1417 CDD 300

Índices para catálogo sistemático:
1. Ciências Sociais

---

elefante

editoraelefante.com.br
contato@editoraelefante.com.br
fb.com/editoraelefante
@editoraelefante

Aline Tieme [comercial]
Katlen Rodrigues [mídia]
Leandro Melito [redes]
Samanta Marinho [financeiro]

TIPOGRAFIA Arno Pro, Market Fresh & Weissenhof Grotesk
PAPÉIS Lux Cream 70 g/m² e Cartão 250 g/m²
IMPRESSÃO BMF Gráfica